河出文庫

ニッポンの正体

漂流する戦後史

白井聡
高瀬毅 聞き手

河出書房新社

文庫版はしがき

ここにお届けするのは、『ニッポンの正体――漂流を続ける日本の未来を考える』（2023年4月、河出書房新社）の文庫版である。本書を仕上げるにあたって、文意が明瞭になるよう、最低限の本文の見直しや修正を行なった。

単行本が出版されてから、約一年が経ったが、内外の政治情勢はより切迫したものとなり、本書で指摘・分析した問題は、一層深刻なものとして現れつつあるように思われる。したがって、本書で取り上げた内容は、時事的なものであるとはいえ、現時点でまったく鮮度を失ってはいないと著者としては確信する。本書が読者の認識の深化に寄与することができるならば、著者にとって最上の喜びである。

京都・衣笠にて　2024年3月　白井聡

はじめに

本書は、ユーチューブのニュース解説チャンネル、「デモクラシータイムス」でおおよそ月一回のペースで配信している番組、「白井聡 ニッポンの正体」の内容をテープ起こしし、それに必要な修正を加えてまとめたものです。

この番組は、2022年3月に開始しましたが、高瀬毅さんの導きにより、政治に関わるさまざまなテーマを深掘りして私が解説する、というかたちで続けられてきました。私がこれまでの著作等で展開してきた論点を、リアルタイムで生じている時事的な問題・事象と結びつけて、改めて解説したり敷衍(ふえん)して展開するという仕事には、毎回新鮮な喜びがあります。さらにこのたび、このようにして一冊の本としてまとめることにより、論旨を明確化する機会を得たことは幸運でした。本書の目次をご覧になればわかることと思いますが、相当に多彩なテーマを取り上げることができたと自負しています。

「マスコミの劣化」が叫ばれて、すでに久しくなっています。この「はじめに」を書いている今も、放送法4条の解釈変更問題が大スキャンダルへと発展していますが、本件においてもっとも大きなダメージを受けたはずのテレビ局に、強められてきた報道統制に対し、この機を活かして反転攻勢を仕掛けようとする気配はまったくありません。報道機関としてのテレビ局は、2012年の第二次安倍政権成立以降、退却に退却を重ね、ほぼ死んでいる――このことが改めて証明されています。

そうした中で、ここ数年、インターネットを通じた報道番組、それも見応え、聞き応えのあるプログラムが目に見えて増えています。大メディアで仕事をすることに限界を感じた（もっと言えば、嫌気がさし、見切りをつけた）ジャーナリストたちの参入も目立ちます。

その中でも老舗に数えられる「デモクラシータイムス」は、その配信番組の質、量の両面でとりわけ充実した内容を提供していると思います。この私も微力ながらお手伝いをさせてもらっているわけですが、そうした充実がもたらされているのは、幅広い専門領域にまたがる多彩な面々――ジャーナリスト、研究者、社会活動家等――が協力をしているからであり、多彩な面々が集うのは風通しが良いからだと私は感じています。

そんな場を目にして、私は西郷南洲の有名な言葉をふと思い起こします。「命もいらず、名もいらず、官位も金もいらぬ人は、始末に困るものなり。この始末に困る人ならでは、艱難を共にして国家の大業は成し得られぬなり」

はっきり言って、現代日本の政治的・社会的危機の深さは、取り返しのつかない水準にすでに達しています。「忖度の王」の座を占めていた安倍晋三元首相が亡き人となって後も、「始末に困る」どころか「始末された方がよさそう」な面々が、相も変わらず権力の管制高地に居座っています。しかし、「始末に困る人」たちは、決して諦めないし、逃げも隠れもしません。私たちは、この危機の実相を暴き続けますし、立ち向かい続けます。その中で、「白井聡　ニッポンの正体」の配信は継続されますし、本書はその書籍版の第一弾ですが、今後も続編を刊行してゆく予定です。読者には、期待していただきたいと願います。

最後に、デモクラシータイムスの創始者同人の方々、とりわけ「白井聡 ニッポンの正体」では毎回見事な仕切りをしていただいている高瀬毅さん、そして本書をまとめる仕事をしていただいた西垣成雄さんに、心より感謝申し上げます。

2023年1月　白井聡

ニッポンの正体　漂流する戦後史　目次

ニッポンの正体

◉漂流する戦後史◉

1

なぜ、日本は朝鮮戦争の終結を望まないのか？

韓国の大統領選が日本に与える影響

文在寅（ムンジェイン）が朝鮮戦争の終結宣言の実現を望む演説をした意味

高瀬　韓国の文在寅前大統領が在任中の2021年9月に国連総会で朝鮮戦争の終結宣言の実現を望む演説をしました。唐突な感じが拭えなかったのですが、その後も折に触れて、この問題をアピールしてきました。これらをどのように見ていますか？

白井　問題の核心に踏み込んで、最重要の課題をストレートに提起していると思います。文氏は「朝鮮戦争の終結宣言をすれば、非核化の不可逆的進展とともに、完全な平和が始まる」ということを述べました。しばしば北朝鮮問題という言葉が使われるわけですが、核開発、ミサイル開発だけではなく、体制全体として異様な独裁体制を敷いている異様な国家であるということも含めて、何をしでかすかわからない国家が隣人としているのは非常に困ったことだという感覚が、日本を含めてあるわけです。結局、大局的に見てなぜ異様な国家が存在しているかというと、北朝鮮でずっと戦時体制が続いているということに起因します。これを解決しなければ、いわゆる「北朝鮮問題」も解決できないということだと思います。

高瀬　歴史をよくわかっていないところもありますから、日本人の多くは突如こういう問題が飛び出してくると、何を言っているんだ、あの北朝鮮とどうやったら終結宣言ができるんだと、違和感を持って受け止めるのがせいぜいだと思います。

白井 それは非常に不毛な無知だと思います。朝鮮戦争が始まったのは1950年ですから、今年（2022年）で72年になります。1953年に一応停戦がなされており、実質的に戦争をしていたのは3年間くらいです。そこから休戦状態が続いていて、国際法的には戦争が継続しているわけです。停戦から数えて70年の間休戦状態が続いているという異常さにまず気づく必要があると思います。

高瀬 その点もピンときていない感じがあります。文さんがそういう発言をして、その後もたびたび発言されていますが、韓国、北朝鮮、アメリカ、中国の四者が原則合意したと、2021年12月の時点で報道されている。実際に終結宣言が出せるかというと、そう簡単ではない。実現は簡単ではないという感じです。

白井 ケガの功名と言うべきか、ひょうたんから駒と言うべきか、よくわかりませんが、アメリカのトランプ政権ができたとき、世界中が「何だあれは？」と驚愕した。安全保障体制についても「日米安保体制はやたらとアメリカが負担してばかりいるからやめてしまえ」、NATO（北大西洋条約機構）についても、「ヨーロッパが全然負担していないからやめる」と言っていて、非常に不安だと言われた。北朝鮮との間でもすぐに戦端が開かれるのではないかと緊迫感が漂ったわけですが、その後、急転直下の直接対話。結局、実は結びませんでしたが、その中で朝鮮戦争の終結宣言が出るのではないかという観測がかなりあった。

トランプ自身も、それを成し遂げて名声を得たい、ノーベル平和賞を得たいという個人的な野望があったのではないかと言われています。あのとき、世界が気づかされたのは、北朝鮮問題を解決するには、まず朝鮮戦争の終結をやらなければならない、それこそが、まさにカギだということです。トランプがアウトサイダーであったがゆえに、そういう発想ができたわけで、普通の政治家だったら、それを匂わせるようなことはしなかったでしょう。

文在寅さんは、ある意味、そのひょうたんから駒を利用して、機運を作ってきたのではないかと推測しています。

即座に朝鮮戦争終結への動きに反対の意思を示した日本

高瀬 北朝鮮が次々にミサイルを撃って、いったいどうなるんだと不安が高まりました。しかし、2018年の平昌（ピョンチャン）オリンピックにかけて、それまでとまったく逆の動きになった。トランプは問題が多いものの、あれぐらいじゃないと事態が動かないのも確かなのでしょう。あのとき、日本側は相当動揺したと思います。今回、文さんの発言を受けて、日本側がどう言ったかというと、即座に反対の意思を示した。これはいったい、どういうことでしょうか？

白井　日本の戦後体制の権力の根幹部分からすると、必然的な行動で、やはりそうかという話です。この行動の異常性について、私たちは気づく必要がある。トランプ大統領と金正恩（キムジョンウン）の交渉のときにも、「朝鮮戦争の終結宣言なんか、絶対に出さないでください」とトランプに働きかけていたことが明らかになっているし、トランプ退陣以後も、文在寅の発言、四か国の基本合意ができたという発言に対して、「それはまかりならぬ」と言って、いろいろと働きかけているらしい。

70年間も戦争状態が続いていて、延々と終わらない状況を解消しようという動きが出てきて、それに対して日本は反対している。日本っていったい何なんだ？　平和国家って何なんだ？　ずっと戦争を続けろと言っているわけで、どこが平和国家だ、と。

高瀬　拉致問題で、国会議員も北朝鮮による拉致被害者の救出を願うブルーリボンを着けて活動しています。平和になったほうが問題の解決になるのに、反対するのは矛盾があります。

白井　メディアも同様です。私が知る限り、朝鮮戦争の終結に日本も協力していくべきだという論陣を張っている全国紙はありません。「朝鮮戦争の終結に向けた機運が出てきたのだから、日本もその流れの中で外交を展開し、それに向けて努力すべきだ」とはっきりと社説で書いたのは、私の知る限り沖縄の「琉球新報」くらいです。改めて、日本で正気なメディアは沖縄のものだけだと思いました。

戦後日本の民主主義は
朝鮮戦争の休戦状態に依存している

高瀬　白井さんは２０２１年に、『主権者のいない国』という本を出されました。朝鮮戦争について、「休戦状態が70年近く続いていて、戦後日本の民主主義はこの休戦状態に依存している」と書かれています。これは歴史について広い視野がないとなかなか理解しにくいと思います。どういう意味でしょうか？

白井　戦後の日本は、一応自由民主主義体制で、言論の自由らしきものもある。しかし、本物の民主主義革命のようなものを経たのかというと、占領下の改革は結局、中途半端なものに終わったわけです。

それをもたらしたのは、いわゆる「逆コース政策」です。アメリカからすると最初は日本の民主化と脱軍国主義化がもっとも重要な課題だったわけですが、東西対立が厳しくなってくる中で、日本をアジアにおける第一の子分にするほうが大事であるということになった。さらに民主化を熱心に進めると社会主義陣営にシンパシーのある勢力が元気になってしまうので、民主化はほどほどにして、戦前の支配勢力に対して公職追放を解除したり、東京裁判の訴追を免除したりして、親米に転向した戦前以来の保守支配勢力を戦後日本の統治の構造の中心に据えた。

そうしてできた統治構造が今日までずっと続いているわけですが、まさにその逆コースで復活したのが岸信介氏であり、その孫が安倍晋三さんだった。

逆コースこそ戦後日本を形作ったという意味で、まさに決定的な事件だったわけです。逆コースは朝鮮戦争が始まる前からスタートしていますが、朝鮮戦争が起こったことで逆コースの流れが決定的になります。その意味で、朝鮮戦争こそは戦後日本の国の最も基本的な骨格を作った出来事であるわけです。

高瀬　戦後史をつぶさに見ていくと、戦後2〜3年は日本の民主化の希望が見えていた。しかし1949年に革命で今の中国ができたあたりから、アメリカの統治政策が変わってきて、翌50年に朝鮮戦争が起こった。戦後史を勉強するには、この戦争のことをきちんと押さえておかないといけませんね。

再軍備要請、そして講和、日米安保への流れ

高瀬　皆さんだいたいイメージはできると思いますが、朝鮮戦争の詳細はあまり知らないのではないでしょうか。私も近年調べていく中で、いろいろわかりました。朝鮮戦争の始まりは1950年6月25日に、北朝鮮が攻めてきたというのが定説になっています。そして53年7月27日に停戦ということになりました。

戦ったのは、主力がアメリカ軍の朝鮮国連軍と韓国軍VS.北朝鮮軍と途中から加わってきた中国人民義勇軍。相互に押したり押し戻されたりがあって、北緯38度線で止まったわけです。戦争による犠牲者は資料によっていろいろですが、東京新聞の五味洋治記者の『朝鮮戦争はなぜ終わらないのか』によれば、韓国40万人、米国14万人、北朝鮮・中国の死傷者は200万人から400万人で、1000万人が南北に別れて暮らす離散家族になっている。これも膨大な数です。53年に板門店で休戦協定が調印され、休戦状態は今も続いている。これが概略です。

日本が逆コースをたどっていかざるを得ないほどの大変な戦争だったわけですが、これが現在の日本社会の起点と考えていいわけですか。

白井　そうですね。朝鮮戦争が起こったことの影響は甚大です。学校の歴史教科書などで一番強調される点は、いわゆる朝鮮特需が発生して、戦争でボロボロになっていた日本経済がこれをきっかけに立ち直り、高度成長にもつながっていくことですが、それだけでなく政治のことをもっと理解しなければいけないと思います。

まずは逆コースです。戦前の国家指導者たちを復権させて、逆に、最初は日本の民主化を進めていく原動力だとみなされた左翼側をレッドパージで弾圧していく。有名な「国鉄三大謀略事件（下山・三鷹・松川）」も、朝鮮戦争という文脈で起こっています。そして、米国は日本に再軍備を要請する。自衛隊と憲法9条の問題は、ここに起源があります。

日本への再軍備要請は、アメリカの軍部などには日本に朝鮮戦争を本格的に手伝わせたいという意向もあり、日本に圧力もかけましたが、吉田茂がのらりくらりとかわす。まずお金がないし、国民の厭戦気分が強い。結局、妥協の産物として軍隊というよりも治安維持のための組織、警察に近いものだというレトリックで、警察予備隊をつくることになる。後に保安隊、現在の自衛隊と変わっていくわけですが事実上の軍事力になることは最初からわかっていました。

高瀬　朝鮮半島で戦争が起こり、占領の主力だったアメリカ第8軍がほとんど朝鮮半島に動員されていく。日本の占領政策の中で治安を守る人たちがいなくなってしまったので、その肩代わりとして警察予備隊を日本に作らせる。それが保安隊を経て今の自衛隊になり、世界でも有数の（事実上の）軍隊に発展したわけですね。

白井　しかも非常に重要なのが、警察予備隊創設の法的根拠が何だったかというと、ポツダム政令なんです。ポツダム政令とは何か。GHQによる日本の占領統治は間接統治と言われます。一番上にはGHQ、マッカーサーが鎮座しているが、直接統治しているわけではなくて、その下に日本政府、国会があって、それが統治している。ただし例外事項があって、ポツダム宣言に根拠を置き、連合軍が直接的に状況に対して命令できるものがある。このとき、新憲法は成立しているわけですから、明らかに憲法で禁止したはずの軍事組織ではないかという憲法上の問題が生じる。それを回避するために、直接ポツダム政令を下すことによって、自衛隊の前身はできたわけです。

この経緯はもちろん、憲法問題と深く関わる話です。戦後憲法は、いわゆる改憲派からは「押しつけ憲法だ」と言われる。当時の占領軍、実質的にはアメリカは事実上、憲法を制定する主体だったわけです。まさに制憲権力だからこそ、憲法を破ることもできる。自衛隊創設の法的経緯を見れば、当時の実質的主権者が誰であったか明白です。こうして憲法9条問題が発生することになったのです。

サンフランシスコ講和条約が1951年に結ばれますが、これも朝鮮戦争開戦という文脈があったからこそ、急速に講和をしようという流れが出てきた。アメリカの思惑としては、朝鮮戦争が起こったという状況で、ますます日本を手中に収めておかなければならない。

そのためにはどうしたらいいか。このへんがアメリカの上手いところですが、いつまでも占領が続いているのはよくない。日本人に悪い作用を及ぼし、反米化する可能性がある。だから、一応の主権回復をさせなければならないという考えに傾き、講和条約締結が急がれるようになりました。同時に、軍隊の駐留は絶対に続けなければならない。主権回復をしたら軍隊が駐留する根拠がなくなるが、でも駐留したいから日米安保条約が必要なんだということです。

朝鮮特需を機に好転した日本経済

高瀬　非常に重要なポイントですね。現在の自衛隊につながるものが出来上がっていき、サンフランシスコ講和条約を結びますが、それとセットで日米安保条約が締結されます。日米安保条約には日米地位協定という問題もあります。

1950〜1953年は、今日の日本の基礎が出来上がった時期です。さらに朝鮮特需も起こりました。この4年間で23〜24億ドル、1ドル360円で計算すると8640億円という額になります。今のお金からすると大したことはないように見えますが、1952年度の国家予算は8527億円で、4年間で1年分の日本の国家予算分の特需が生まれている。年間にしても二千数百億円の特需です。これは非常に大きかった。

1950〜1957年の主要品目別特需額の統計を見ると、目立つのがトラック、自動車修理、兵器および同部品。朝鮮戦争に関わっているということです。各社の社史を調べた『週刊金曜日』(2020年6月19日号)の特集があり、それによるとトヨタ自動車が4679台のBM型トラックを受注して、36億600万円の売上があった。それまでは青息吐息で人員整理にまで手を付ける状態だったのが、特需を機に業績が好転。今や世界のトップクラスの自動車メーカーになりました。その基礎はどうやらここでできた。

ダイキン工業が81㎜迫撃砲と榴弾砲30万発を作っています。小松製作所も同程度作っている。丸紅は世界的な軍拡・備蓄競争で輸出が好転し、綿布輸出が世界の首位になりました。この頃から、いわゆる繊維や紡績といった「糸へん景気」が起きる。沖縄では、朝鮮動乱勃発と同時に米軍基地の拡充が強化され、沖縄の建設業界に大きな需要が生まれ、建築・土木業の國場組も潤った。大関酒造は、昭和25年度の販売数量が1629kℓで、前年度比254％増。

好景気の波が日本全国にいろいろな形で広がっていたということでしょうね。相当の影響があっただろうと思いますが、朝鮮戦争が始まったときに、今では想像もつかないようなことが起きていました。

韓国の臨時亡命政府を日本に作りたいという話があった

高瀬　1950年6月29日、朝鮮戦争開戦から4日後、福岡県小倉、戸畑、八幡、門司の各市に警戒警報が発令され、灯火管制が実施されました。佐世保市でも灯火管制が行なわれています。戦前、戦中のようなことが、あのときに起きているんですね。

同じ年の7月11日には、小倉の米軍キャンプから米黒人兵がピストルなど武器を持って集団脱走し、周辺の住宅などに入り込み暴行レイプ事件を起こしている。脱走兵の数はおよそ250人。米軍のMPも出動し、『福岡県警察史』によると一時、小倉では銃撃戦になったという記録があります。松本清張の『黒地の絵』という有名な小説に、このときのことが書かれている。7月4日には、酔った米兵が民家に押し入り、日本人4人を惨殺する事件も起こっています。

朝鮮戦争で亡くなって戻ってきた米兵の体は傷ついている。それを修復して、本国に帰している。そのための生々しい作業がいろいろあり、そこに日本人がアルバイトで行くわけです。かなりいいお金が出るが、そこに行くと臭いが染みついてしまって、何日も働けない。そういう話がたくさんある。あまり知られていませんが、調べてみると実際にあったことがわかります。

白井さんはご存じかどうかわかりませんが、朝鮮戦争が始まって1か月も経たない7月16日、北朝鮮が一気に南に攻めてきて、韓国側は大混乱に陥り、朝鮮半島南端の釜山（プサン）まで追いやられてしまった。そのとき、韓国の李承晩（イスンマン）政権がソウルから大邱（テグ）に移転して、さらに釜山まで逃げていくんですが、韓国の臨時亡命政府を日本に作りたい、と希望していたという話が『山口県史』に書かれています。

白井　私は知らなかったですね。

高瀬　後に福田内閣で通産大臣になる田中龍夫さんが当時、山口県知事で、実は田中氏は戦中朝鮮総督府で働いていた人たちを北朝鮮に情報収集のために送り込んでいた。当時、南北の相互交通は比較的しやすかったので北朝鮮の動きをつかんでいたわけです。

朝鮮戦争が始まる一週間くらい前には吉田茂首相に「朝鮮で戦争が始まりそうだ」と伝えたのですが、吉田からは「何をあんた言うんだ！」とまともに取りあげてもらえなかったのです。ところが、本当に戦争が始まった。

山口県は朝鮮半島に一番近いので、県内に20のキャンプを設営し、韓国人6万人を移住させて、亡命臨時政府を作らせてもらえないかという話がきた。田中知事は最初は断ったらしいのですが、最終的に受け入れを決めたら、マッカーサー率いる国連軍が韓国・ソウルの西側に隣接する仁川（インチョン）に上陸してこの話は消えました。

こういう話を知ると、驚くべき戦争だったと感じます。

白井　多くの日本人が、あくまでも海の向こうの戦争だったという感じの歴史観でとらえてしまっている。もし、一時期、韓国の臨時政府が日本にあったということになっていれば、もう少しリアリティーというか、この戦争が本当に戦後日本の形を規定してきたということが自覚できたかもしれません。

朝鮮戦争へのさまざまな協力をさせられた日本

高瀬　朝鮮戦争の伝わり方が違っていたかもしれませんね。日本はギリギリのところで直接的な関わりを回避していくところがあります。

しかし、それ以外に戦争協力をさせられています。日本全土が米軍の後方基地、いわゆる兵站（へいたん）の地になっていた。私は最初、朝鮮戦争について小倉の問題から入っていきました。というのは、広島、長崎の間に小倉が原爆投下目標としてあり、それを調べていたからです。すると、戦中もさることながら、戦後の小倉が果たした影響も大きく、米軍の基地として相当の土地も提供させられ、演習場としても使われていったことを知りました。日本各地から朝鮮半島への出撃は幾度にも及んだ。爆弾投下が70万トン。港湾、鉄道、飛行場の米軍使用、日本の工場での軍需物資、兵器などの製造、それから機雷の掃海に日本人が相当動員されています。日赤の看護師が朝鮮戦争の前線に派遣されたことが資料に出てきます。今、献血を街でやっていますが、朝鮮戦争で傷ついたアメリカ兵に輸血が必要だということで、このときに日赤の献血が始まったのです。

米軍キャンプの日本人が通訳やコックとして前線につれていかれました。死傷者は381人。これも実数はどこまでかわかりにくいんですが、そういう資料もある。日本の民間人男性60人を米軍が帯同し、20人が18歳未満であった。18人が戦闘に参加し、4人が死亡。それから、1950年6月に戦争が始まって翌年1月までに57人が死亡している。本当に知られていないことがたくさんあります。

白井　機雷除去に掃海艇を派遣していたというのは、結構前から研究者などが掘り起こして出ていたと思うんですが、米軍基地で働いていた日本人がそのままその部隊が朝鮮半島に出ていくので帯同してしまって、もともと軍人ではないので民間の仕事をしていたわけですが、前線ですから否応なく銃を持って戦うことになったというケースがあったことを、数年前のＮＨＫのドキュメンタリー番組で知りました。これらのことは機雷除去も含めて、厳重に隠されてきたと言わざるを得ません。

高瀬　福岡県の博多湾に志賀島（しかのしま）という島があります。江戸時代、ここの畑から金印が見つかり、「漢倭奴国王」の文字が刻まれていました。金印で知られる島です。この島のすぐ手前、西戸崎というところに戦後、米軍キャンプが造られました。そこの住民に取材をすると、「うちの父親はコックをしていたが、連れて行かれた」と言うのです。子どもの頃父親と一緒にふろに入ると、おなかに傷がある。「これは何？」と聞くと、「弾丸がかすめた」と。父親はそれ以上多くは語らなかったということですが、確実に向こうに行って銃を撃っているはずだと話してくれました。ＮＨＫもその話を取材して番組にしています。キャンプごとに連れて行くから、上からどういう命令がきているのかわからない。属人的な関係で連れて行ったようですね。

近年明らかになってきた朝鮮戦争協力の実態

白井　当初、南方は苦戦したこともあって、アメリカも相当混乱していたと思います。そういう混乱の中で、ステイタスもいいかげんなままに連れて行かれたという人が、少なくとも三桁、四桁の数になるのかもしれません。そのくらいの人数だとすると、近年まで実態、秘密が公にならなかったのは驚くべきことです。

高瀬　割と最近になって、こういうことが断片的に出てきたわけです。実態を調べた方がいらっしゃる。１９９８年に出版された『史実で語る朝鮮戦争協力の全容』という本の著者、山崎静雄さんという方です。山崎さんは日本共産党の国会議員の秘書をされていて、28年間、安全保障や外交問題の調査および論戦を担当していました。あらゆる自治体史を調べている。その山崎さんに話を聞きました。

山崎　朝鮮戦争でどんなことをさせられたかを考えてもらえば、いっぱい話はあったんです。国会でも、ちょっとは議論がありましたが、そう大きな問題にはなり得ない。米軍が主ですから、それはできない。だけど、質問をやろうと思えばできるわけだし、実際、共産党や当時の社会党の議員さんたちは質問したんですね。だけどみんな、それは精神的な協力なんだという言葉でスルーする。

高瀬　政府側がですか？

山崎　総理から防衛庁長官、官僚まで、だいたい答弁のひな型は決まっていますから。それで知らん顔をして、これだけのものがあっても、大した問題にしないという方針だったんでしょう。

高瀬　精神的な協力という言い方をするわけですか。いろいろな人間が動かされたり、さまざまな土地などを使われたりしているという具体的な事実を突きつけても、そういう言い方をするんですか？

山崎　具体的な事実、これを当時知ることはできなかったと。新聞でもきちんと書いてくれれば、「○○新聞はこう書いている」というのがあるでしょうが、そういうものを示すことができない。日米では秘匿させるという政策じゃなかったでしょうか。

私たちは簡単に朝鮮戦争と言うけど、アメリカは核兵器を使うかどうか、真剣に検討したわけです。そのくらい大きな話だったわけですから、日本に「もっとやれ」と言うのは当然だったと思います。

実際、そういうことがあると思うんだけど、外に出てきていない。例えば、LST（戦車揚陸艦）などがそう。朝鮮の上陸作戦のときに、一緒に上陸して銃を使ったとかいうのがあっておかしくないと思うんですが、それは私たちにはわからない。

高瀬　朝鮮戦争から70年以上経っていますが、日本人がここから学ぶことはいろいろあると思うんです。しかし、多くのことが知られていないし、知られていないということはそこから教訓を学び取ることもなかなかできない。この状況は、どう思われますか？

山崎　すごく大事なことですよね。事実を浮き彫りにする、表にあぶり出す。これをやらないといけないが、国会でやろうと思えばできる。共産党などが言っても動かないけど、自民党が「これは主権の問題だ」となれば出てくる。官僚も、そこまで言われれば出すんです。だから本当に、事実をあぶり出すということを政治の力でまずやる。これをさせるにはどうするか、というのがあります。

高瀬　まとまったものが出てくると、「こういうことだったんだ」と具体的にわかるんですが、当時、朝鮮戦争が休戦してからも、なかなかそういう情報が出てきていないので、国会でも論戦にならない。だから、そのあたりは突っ込みようがなかったのかもしれません。

もし、北朝鮮が軍事的に完全勝利していたら……？

白井　そうですね。朝鮮戦争が戦後の日本の国の形の根本を作ったというのは、先ほど申し上げた通りなんですが、それには二つ意味があると思うんです。

一つは、すでに述べたように逆コースで、徹底的な民主化が妨げられた。実はもう一つは、逆コースがあの程度で終わったというのが大きなポイントだと思います。言い換えると、戦争に日本が密かに協力させられていた、その協力がこの程度で済んだ。ずっとごまかして、隠してこられる程度のものにとどまった。だから「憲法違反にもなっていませんよ」と支配層は言ってきたわけですが、もっと協力せざるを得ない状況に追い込まれていたら、さすがにそれは保たないわけです。

もっと協力せざるを得ない状況とはどういうことかと言うと、あの戦争は激戦の3年間の末に、38度線のところに事実上の国境を作り、妥結することになったわけですが、ひょっとすると北朝鮮の側が軍事的に完全勝利し、韓国という国が消滅させられる可能性だってあったわけです。

もしそうなっていたら、どうなっただろうと想像する必要があります。現実には、戦後、いわゆる東西対立のアジアにおける最前線がどこにできたかというと、朝鮮半島の38度線、それから台湾海峡だったわけです。そこは本当に最前線ですから、戦後韓国においてはアメリカの影響を非常に強く受けた権威主義体制ができた。あるいは台湾では国民党が30年くらい戒厳令を出し続けるという無茶苦茶な状況が出来上がったわけです。

要するに、どちらもアメリカがバックにいるので自由世界の一員だと言っているわけですが、自由は実質的にはない。徹底的な反共主義政策が取られた。なぜかと言えば、そこで自由民主主義をやってしまうと、敵対勢力が入ってきてしまう。社会主義勢力、共産主義勢力が力を持ってしまって体制が転覆されかねない。だからそこでは、自由も民主主義もへったくれもないという状況が、ずっと長く続いたわけです。

翻って日本はどうだったかというと、基本的には反共主義体制だったわけです。まさにアメリカの第一の子分なのだから、反共体制にほかならず、その総本山が自民党ですが、一方で日本は一応、戦後民主主義体制が成り立って、社会党や共産党、いわゆる社会主義圏に対して公然とシンパシーを示していた勢力が議会でたくさん議席を持ち、労働組合に対しても影響を持つことができたわけです。

　もし、朝鮮戦争が北朝鮮の完全勝利に終わっていたら、そういうことが可能だっただろうか。その場合、最前線が朝鮮半島の38度線ではなくて、対馬海峡になる。そうなったら、到底そのような状況は、アメリカが日本に対して許容しえないと判断したと私は思います。

　そうすると、逆コースはもっと苛烈なものになったはずです。再軍備の要求ももっと厳しいものになった。だから、戦前のファシスト勢力みたいなものがもっと露骨に復権するわけです。一度日本を破滅させた軍人たちも、ガンガン復権させる。当然、それに対する国民の嫌悪感も強くなったでしょうし、激しい抵抗も起きたでしょうが、それも苛烈に叩き潰す。究極的には、日米安保条約の内乱条項にもとづいて米軍が合法的に抵抗を鎮圧できるようになっていたのですから。

　吉田茂はもともと外交官で、軍部が国家を乗っ取って破滅的な戦争へ突き進んでいったことに非常に強い憤りを持っていたので、軍人がまた大きな顔をすることに対して、絶対的に嫌だという確信的な信念を持っていた。だからこそ、再軍備要請に対しても警察予備隊程度のものを作ってお茶を濁したわけですが、そういう吉田茂のスタンスを維持できただろうか。おそらく、吉田茂がその立場に固執したら、アメリカは吉田茂に対して「こいつはダメだ」と判断して失脚に追い込んだでしょう。

強烈な反共体制が作られていったでしょうし、学問の領域などを考えても、ある時代まで韓国や台湾でマルクス主義思想は敵性思想ですからタブーだったわけで、マルクスの本を持っていただけで、逮捕されかねないという状況があったわけです。これに対して日本ではどうだったか。東京大学の経済学部で、近代経済学とマルクス経済学が学部を二分する勢力だった時代が長く続いたわけです。東京大学とは何かと言ったら、基本的に役人を養成する機関なわけです。反共主義国家なのに、反共主義国家のもっとも重要な国家中枢の人材を育てる大学で、敵性思想が堂々と教えられている。ずいぶん自由な民主主義体制ですねということになりますが、そうしたことが可能になったのは冷戦の東西対立の最前線を38度線と台湾海峡、そして沖縄に押し付けることによってなんですね。

高瀬 「戦後日本の民主主義は、この朝鮮戦争の休戦状態に依存している」ということと関わってきます。つまり、38度線のところで休戦状態のままずっと居続けどっちつかずの状態になっている。それ以上に最前線が日本側に来ない状態が70年も続いているから、今の日本が民主主義国家としてどうにか成り立っているということなのですね。

白井 今のこの程度の民主主義くさいものができたのは、北朝鮮が完全勝利しなかったからだという話は私の発明物ではなく、ブルース・カミングスさんという朝鮮戦争研究の権威がある論文でそういうことを書いているのを大学院生の頃に読んだんです。

そのときには、「そこまで言われる筋合いはあるだろうか」と軽い反発を覚えたんです。カミングスは、「もし北朝鮮が完全勝利していたら、日本の戦後民主主義なるものが成り立っていたか疑わしい」と書いていた。３・11やそれ以前の鳩山退陣劇を通過して、「カミングスさんの言っていることは、圧倒的に正しい」と私は確信するに至りました。

結局、朝鮮戦争以後どうなったか。厳しい状況の中で、台湾と韓国はものすごい犠牲を払いながら、民衆が自由と民主主義を獲得するために長期にわたる闘争を行ない、そして獲得した。だからこそ、今両国では自分たちの民主主義を守っていくんだという情熱が非常に強い。まさに、自分たちは主権者なんだという強い意識があるわけです。

それに対して日本では、はっきり言って民主主義は死んでいる状況にある。歴史って、どこかでバランスが取れるようになっているんだなあと。要するに、日本の戦後民主主義というのはあまりにも虫がいい話だったのではないかと。最前線をよそに押し付けて、そのおかげで学問の自由も、報道の自由も、表現の自由も割とやすやすと手に入れてしまった。アメリカからすると日本では民主主義っぽいことをやらせておくほうが外聞もいいだろうということです。

それで経済的にもすごくおいしい立ち位置になって、ベトナム戦争でも大儲けする。平和と繁栄で民主主義も享受するということになった。このことは、分（ぶん）に相応（ふさわ）しくない幸せを得てしまったという気がします。

結局、冷戦、東西対立の構図の崩壊後に、韓国や台湾では真に自分たちが民主主義を獲得できるモーメントが来たんだということできちんとした民主主義体制を築いてきているのに対して、日本の民主主義は腐る一方になってしまった。というのは、非常にねじくれた対米従属、奴隷根性が蔓延してしまって、奴隷根性だけが正しいといった異様な精神状態、精神的な複雑骨折みたいな状態が生じていると思います。これは言ってみれば、身に過ぎた幸せの代償なんだというのが、現状に対する私の見方です。

高瀬　そう考えると、少し離れた朝鮮半島の38度線で分断されたのではなく、もっと南で分断された場合、日本人はまったく違う戦後を送っていたでしょうし、こんな自由はなかったことは間違いないでしょう。これを今の日本人は、ほとんど想像できなくなってしまったということですね。

白井　かつ、戦後の日本の左派も、長らくその認識が全然なかった。例えば、韓国における民主化運動は70年代、80年代に激しい弾圧を受けていたわけですが、それに対して日本のリベラル左派、朝日新聞的なメディアは、「ひどく野蛮な政権である、韓国における民主主義は非常に抑圧されていて、未熟な状態にあってけしからん」といったような見方で報道していた。

それはおかしくないか。本当だったら自分たちがそういった状況に追い込まれる可能性が十分にあった。それをある意味、うまく押し付けることができて、民主主義っぽい体制、本当はアメリカが全部お膳立てをして、アメリカの掌の中で、アメリカに歯向かわない限りでの民主主義を享受しているに過ぎないということに無自覚だから、「遅れていて、かわいそう」という見方しかできない。「韓国の軍人は野蛮だ」という見方しかできない。そういう自分たちが置かれている状況を客観的に見ることができないというのが長らく続いてきたし、今も続いている。

戦後日本が払わされてきた代償とは？

高瀬　日本社会にとっては、この70年間、ある意味、幸せなことでもあった。しかし、その代償も払わされていて、その一つがおそらく米軍基地であろうし、それが集中しているのが沖縄。その沖縄の問題もあまり見ずにきたということです。

実はこの朝鮮戦争に関しては、本土にもたくさん基地が置かれていて、朝鮮国連軍の基地になっています。沖縄を含む全国に七つの基地があり、仮に朝鮮戦争が再開した場合には、一気に日本本土も含めて、設置してある米軍基地が前線の基地になっていく。

横田基地は朝鮮国連軍の後方司令部として今も機能を担っている。それから、キャンプ座間、横須賀基地、佐世保基地、嘉手納基地、普天間基地、ホワイトビーチ。これらは皆さんが知っている基地ですが、単なる米軍基地ではなく、朝鮮国連軍の基地だというこど。そしてこの七基地は、朝鮮戦争再開の場合、自動的に直ちに70年前と同じ役割を担わされるわけです。

当時はミサイルがなかったので、日本まで飛んでくることはなかった。しかし今日では、状況がまったく違っていますから、標的になるということです。

白井　これもあまり知られていないことだと思いますが、いわゆる朝鮮国連軍はアメリカを主体にしながら、イギリスやオーストラリアも参加している。だから、横田基地には国連軍の一員として、イギリス軍やオーストラリア軍の武官もごく少数ですが常駐している。

私が非常に重要だと思うのが、在日米軍が二つのステイタスを持っているということです。なぜ、駐留しているのかという根拠が二つある。一つは、もちろん日米安保条約ですが、もう一つは朝鮮戦争国連軍というステイタスです。

私はこのことが、朝鮮戦争を終結させたくないという日本の親米保守体制の支配階層の動機と関係していると思うんです。というのは、朝鮮戦争が終わってしまったら、朝鮮国連軍は解散ということになる。そうすると、在日米軍がずっと日本にいることの根拠の一つが失われます。二本足で立っているのが、一本足になる。

高瀬　居てもらったほうがありがたい。中途半端な平和状態が、ずっと続いてもらったほうがいい。非常にねじれていますね。平和国家を標榜（ひょうぼう）し、拉致問題を主張していながら、一方で朝鮮戦争の休戦状態は続いてほしい。朝鮮戦争が再開されても困る。

白井　もし再開されたら、日本に核ミサイルが落ちる可能性があります。

高瀬　そこまでいったら困る。中途半端な状態が延々と続けばいいと。

白井　私は謎だと思っています。謎だというのは、トランプと金正恩がののしり合った状態が数年前にありました。あのときに、アメリカの中ではいろいろな軍事作戦がシミュレーションされていたわけで、一番有力なのは斬首作戦。金正恩の首だけを落としに行くというような作戦が一番現実的なものとして考えられたと言われています。

あのとき、すべてのカードがテーブルの上にあり、核戦争も辞さずというところまで踏み込んだわけですが、当然、在日米軍はいろいろなシフトをしいていたと思います。そして、それを補佐する形で、自衛隊も何らかのオペレーションをやっていたはずです。そのときに安倍さんは、世界中が「ちょっと冷静になってください」というふうに言う中で、「異次元の圧力を」、それから「北朝鮮と国交がある国は断絶せよ」と言ったわけです。

あの状況から、さらなる圧力と言ったら、何を意味するんだろうと。それは朝鮮戦争が再開してもいいというメッセージにほかならないと思いましたが、では再開したら何が起こるのかということを、どれだけ現実的に考えていたのか。

高瀬　考えていたとは到底思えません。つまり、自分たちにとっての朝鮮戦争は、本来、休戦状態のほうがいいわけです。そのことと矛盾する発言を、安倍さんは平気でしたということになります。

白井　だから、本音は「終わってくれるくらいだったら、再開したほうがいい」ということなのかなと。再開した場合に、例えば、通常兵器のミサイルが飛んできて、どこか日本の市街地に命中するとして、何十人か100人、数百人、死者が出る程度だったらいいんじゃないと思っていたのではないか。

高瀬　それは本当に浅はかな認識だと思いますね。

白井　そういう形で犠牲が出てしまったら、「犠牲が出たのは憲法9条のせいだ。護憲派がたくさんいて、現実離れしたことを言ってきて、憲法を今まで変えられなかったから、こんな犠牲が出てしまった」と言って、護憲派を徹底的に魔女狩りすればいいというプランだったのではないかと思います。

高瀬　そうすると、朝鮮戦争の終結宣言にいち早く反対してしまう日本という国の本音がわかると思いますね。しかし、いずれ戦争を終結させなければいけませんよね。永遠に続く戦争はないわけで、その日は必ず来る。そのときの衝撃は、日本の社会にも相当大きいものだと思うし、日本の政治への影響も大きい。どういったことが予想されますか？

白井　日本の世論、メディアも含めて、その日がいつか来るはずだということに対して、何の準備もしていない、そこからずっと逃げ続けているというのが現状ではないでしょうか。

北朝鮮による日本人拉致問題が露呈させたもの

高瀬　もう一つお聞きしたいのが、白井さんが『主権者のいない国』で指摘されていた中に、北朝鮮による日本人拉致問題があります。これが何を露呈させているのかうかがいたいのですが。

白井　今、まったく準備ができていないと申し上げましたが、今の日本の外交当局は朝鮮戦争の終結をひたすら先延ばしにしたいというような考えしかできなくなってしまっています。しかし、ずっとそうだったのかというと、たぶんそれは違うと思います。

端的に言うと、拉致問題とも関係した小泉訪朝のとき、日本外交はいったい何をやろうとしたのか。今、それを振り返って考える価値があると思うんですが、小泉元首相が書いた回想録の中で、当時、金正日（キムジョンイル）と何を話したかをざっくばらんに証言しています。いわく、「ミサイルや核兵器といった物騒なものはやめたまえ。そういう戦争準備をするよりも、経済発展して豊かになったほうが国民のためにも、あなた自身のためにもいいと思いますよ」と。

これは、なかなかすごいことを言っていると思います。戦争準備をやめてというのは、漠然とした話ではないはずなんです。そのときの戦争とは、北朝鮮にとっては極めて具体的な話で、「再開する朝鮮戦争」ということです。もし、朝鮮戦争が再開したらどうしよう。あるいは、再開させないために、軍事力の均衡を保つために核開発やミサイル開発をやっているんだというのが北朝鮮の立場です。

だから、戦争準備をやめたまえと日本の首相が言うのは、「朝鮮戦争を終結へと持って行こうじゃないか。そのために、我々も一肌脱ぐから」というメッセージだと向こうは受け取ります。小泉さんがそういうつもりで言ったかどうかはまったくわからないですが、当時の国際的な文脈がどういう状況だったかというと、9・11後のいわゆる対テロ戦争です。

あのとき、ブッシュ・ドクトリンが出されて、テロ支援国家には先制攻撃もあり得ると、アメリカは言い出した。テロ支援国家の中には、北朝鮮も入れられていた。そんな中で小泉外交は、平壌（ピョンヤン）宣言を出して、日朝国交正常化をやろうとしていた。これは、自主外交だったわけです。

アメリカが「テロ支援国家に対しては、敵視をして干上がらせるぞ。みんな、それに続け」と旗を振っているときに、日本が「北朝鮮という国と正式に国交を結びたいと思います」と言って、実際にトップが訪朝して平壌宣言を出したわけですから、北朝鮮の受け取り方としては、日本が本気で自主外交をやろうとしているのではないかと思ったはずです。

だから、それをやるためには、拉致問題を頬かむりしておくわけにはいかないので、ああいう形で認めることになったわけです。あのとき、外務省の田中均さんが主導した外交のスタンスははっきりしていて、日朝国交正常化を最優先する。拉致問題もあるが、小泉さんは「どうするつもりだったのか」と問われて、「国交正常化のプロセスの中で、解決するつもりだった」と答えている。

つまり、あのとき、日本の外交はいったい何がやりたかったかというと、朝鮮戦争を終わらせるということは、東アジアにおける冷戦構造の二つの残滓（ざんし）のうち、大きな一つを終わらせるということで、しかもアメリカ、中国だけではなく、アジア諸国の協力と協調、交渉によって、冷戦構造をアジア主体で終わらせていく。朝鮮戦争の終結、核問題、ミサイル問題、そもそもの南北分断問題といったさまざまな問題が連関している複雑な方程式を、日本がリーダーシップを発揮して主体的に解いていくんだという姿勢を見せていたということです。

高瀬　非常に大きな問題が、あの段階で話されていた。あるいは目指されていたはずだったのに、拉致問題だけに焦点を当てた形で矮小化（わいしょうか）した。

白井　拉致問題は非常に衝撃的な話だったので、世論は一色に染まってしまった。かつ、安倍晋三さんは、拉致問題のところで頑張ったという印象を国民に与えた。それが彼にとって、とてつもなく大きな政治資源になったわけです。ゆくゆくは超長期政権を築けるまでになるわけですが、拉致問題がなければあり得なかったと思います。

結局、小泉さんにそれだけの大仕事に取り組む覚悟があったかと言ったら、なかったと思います。というのは、その後、イラク戦争になる。イラク戦争は、ものすごく評判が悪かった。イギリス以外のヨーロッパ諸国、有力国がこぞってダメだと反対する中で、アメリカ、ジョージ・ブッシュ・ジュニアは孤立する。その中で、日本が賛成の手を挙げてくれた。アメリカからすれば、非常にありがたかったわけです。
　あのときの日本の判断は何であったかというと、北朝鮮問題に対してアメリカは怒っていたわけです。それに対する償いという意味があったはずです、本来は。償いとして、不評な戦争でアメリカについていく、実際に自衛隊も送ったわけだし、そこまでやるんだったらディールにしなければならない話であったはずです。イラク戦争は評判が悪いけど手伝う。その代わり、北朝鮮問題に関しては我々の考えでやらせてもらう、というふうにしなければ、ディールとして成り立っていない。

高瀬　自分たちが歴史的にどういう位置にあって、北朝鮮や韓国の問題をどう考えるかというところが論理的に落とし込まれていない。局面、局面では面白い動きになるが、一貫性がないという感じがしてきます。

白井　結局ディールにならなかったので、小泉さんが任期末にブッシュさんに呼ばれて国賓として歓待され、個人的に満足して終わったわけです。結局、北朝鮮問題は拉致一色になっていきました。
　自分たちが主体的に、自分たちのビジョンで動かしていこうという、まさに主体性を自発的に放棄するためのネタとして拉致問題が機能してしまった。

今日に至っては、そういったビジョンを日本の外交が持とうとしていたこと自体が、現実とは思えない状態になってしまっています。

2

「核」を欲しがる被爆国

ウクライナ危機の衝撃は続く

安倍元首相の核共有議論をめぐる発言の意味

高瀬　この章では、唯一の戦争被爆国である日本の抱える矛盾を取り上げたいと思います。

２０２２年2月24日、ロシアがウクライナに侵攻しました。プーチン大統領は、核兵器の使用もほのめかし、原発や核研究施設を攻撃するなど、核の脅威を盾に世界を震撼させています。

プーチン大統領は、クリミア併合のときもドンバス地域の紛争のときも、そして今回のウクライナ侵攻でも、専門家がまさかそこまではやらないだろうということを全部やってきています。今のところ、原発への攻撃はあったものの、幸いなことに原子炉の破壊は免れている。

下手をすると、戦況次第では今後核兵器をどこかで使うのではないかということを否定できないのが不気味ですが、白井さんはこの一連の事態をどのように感じていらっしゃいますか。

白井　この対談は２０２２年3月14日に行なっていますが、この間、核戦争の可能性が否定できないという論調が日本国内でもそうですし、世界中で囁(ささや)かれるようになっています。本当に、不思議な感覚に囚われるんですが、焦りすぎてはいけないと思うことが一つあります。ザポリージャ原発やチェルノブイリ原発をロシア軍が占拠しているという戦況があり、これに関して、ロシアが一種の核テロのようなことを行なうのではないかというような推測も流れました。私は、それはないだろうと思います。

核テロを狙うというより、軍事行動をしていく過程で重要なインフラを押さえていく、場合によっては、戦略として停電を利用するというような作戦行動の中で行なわれたことだろうと思います。核テロのようなことを起こすのはロシアにとってもまったく合理性がなく、管理に関しても、ウクライナで使われている原発は、ソビエト、ロシア型のものですから、管理・運営する技術はロシアの側にもあるはずなので、危険であるということをあまり喧伝するといたずらに恐怖を煽ることになると思います。

高瀬　今のところ、かなり計算をして攻撃したり襲撃したりしているということが窺えると思います。いずれにしても、エスカレートさせていることは注意して見ていかなければならないと思います。

そんな中、安倍元首相が2月27日のフジテレビの番組で、「日本も核を共有することの議論をタブー視してはいけない」という趣旨の発言をしました。これに対して、当然、広島、長崎の被爆者団体からはものすごい反発や批判の声が上がりました。立憲民主党や共産党などの野党側は「日本の国是である非核三原則に反する」として反発しました。衆参両院の予算委員会でも、再三取り上げられ、岸田首相は「非核三原則を堅持していくことから、認められるものではない」と核の共有については否定しているわけです。ただ、自民党内からは「議論すべき」という声が少なからず上がっており、日本維新の会も同調するということで、一般論として各党で議論することは容認しています。私は「岸田さん、もっとしっかりしてくれ」と思いますが、この一連の流れをどう思われますか。

矛盾する二つの国是、「非核三原則」VS.「米国の核の傘の下」

白井 安倍さんの発言に対する私の受け止めとしては、ある意味、日本が抱え続けてきた矛盾を表に出したものだということです。普通に考えて矛盾があるものを国是としてきた。一方で非核三原則、「持たず」「作らず」「持ち込ませず」と言ってきた。これは言い換えれば、日本は原爆を落とされた経験から、核兵器にはいかなる形でも絶対に関わらないと宣言しているということです。

ところが他方で、アメリカと日米安保条約を結んで、日米安保体制があり、アメリカの核の傘の下に入っている。これはつまり、いざとなったらアメリカの核抑止力を機能させることが日本の安全保障の根幹の一つであると。これも国是になっている。

この「二つの国是」の間には、どう考えても矛盾がある。

要するに、アメリカからすると、「いざとなったら、あなた方は核兵器で守ってもらいたいのですか?」と。それに対して、日本は「はい」と言っている。ところが、「でも、私たちは絶対、どんな形でも核兵器には関わらないんです」と言っている。核抑止力を利かせるのであれば、米軍がいざという場合に利用する施設が日本国内に必要ではないかというようにアメリカからすれば見える。

明らかに矛盾する二つの国是をなんとなく両立できるということにしてごまかしてやってきたのが、戦後日本なんだと思います。

高瀬　今回、安倍さんはウクライナ危機に乗じて、特に「持ち込ませず」という点をとらえ、アメリカに核を持ち込んでもらい、配備したらどうかと揺さぶりをかけてきた感じがします。

アメリカの核の傘の下にいて、核兵器の共有を言い出すのは、一つにはNATOの存在があると思います。NATO加盟国のうち、五か国に約100発が配備されている。各国の基地内に保管されていて、有事のときに使えるということですが、これと同じことを日本もということを想定しているのかもしれません。しかし、そもそもNATOはNPT(核拡散防止条約)発効の前から五か国で核の管理をしている。そのような中で、日本に核共有、核配備的なことをやると、核拡散防止の目的に反するという矛盾が生じます。

もう一つ、アメリカから見ると、「我々が核の傘を広げているのに、お前たちは信用しないのか?」という不信を買う可能性もあります。ここでも矛盾がはっきりと出てきている感じがします。

今回の話はそうしたハードルの高い話だと思いますが、ここをあえて突いてきたのは、ウクライナ危機に乗じて非核三原則という縛りをゆるめたいと安倍さんは考えているからだと思います。

非核三原則を国是とした背景には、日本が広島と長崎に原爆を投下された唯一の戦争被爆国であるという体験が反映しています。国民感情としては「核兵器は二度と使ってはならない」という非核、反核の国民意識が今も強固にあります。

ただ、非核三原則とその根本にある被爆体験の意味を、長期に日本を統治してきた自民党、与党側はどう考えているのか。どうも、国民の多くの意識とズレ、断層があるように思います。白井さんは、どのように考えますか?

白井　非核三原則の実態というところから言えば、「持たず」「作らず」は守られているが、「持ち込ませず」に関しては相当怪しい。この件に関しては、いわゆる〝沖縄核密約〟が大変有名です。

あれは、沖縄返還以前の状況においては、沖縄の米軍基地はアメリカの世界戦略の中でも有数の核兵器基地だったわけです。それで日本本土に行政権返還ということになって、そうなると核抜きという日本の国是とも合致する形でやっていかなければならない。けれどもアメリカとしては、「いざとなったら、持ち込めないと困る」ということで、アメリカ側が沖縄核密約を強硬に主張し、佐藤栄作とニクソンの間でこれが結ばれることになった。後にそのことを、若泉敬さん（１９３０年３月29日生―１９９６年７月27日没。元京都産業大学法学部教授。国際政治学者。沖縄返還交渉で重要な役割を果たす。１９９４年に著した『他策ナカリシヲ信ゼムト欲ス』で密約交渉の内容を暴露。２年後に自殺）が死の直前に暴露しました。

そこから推測されるのは、おそらく嘉手納基地あたりに、通常は持ち込んでいないがいざとなったら持ち込んで核兵器を使う準備ができるという施設がスタンバイ状態で維持されているのだろうということです。

実はそのほかにも持ち込まれていたのではないかということに関しては、いろいろな研究者や、平和運動家で研究者を兼ねていらっしゃる方が、さまざまに指摘をされていますが、よくわからないんです。日本に持ち込んでいるのかいないのか、アメリカに聞けば一番早いが、アメリカの方針ははっきりしていて、持ち込んだとも持ち込んでいないとも言わない。持っているとか、どこにあると言わないのが戦略上、もっとも合理的だから絶対に言わないわけです。

「だったら持ち込まれているかもしれない」という話になるわけですが、日本側の政府見解はというと、「核兵器を持ち込むなどという重大な軍装備の変更については、事前協議をすることになっている。事前協議をして、日本側がやむを得ない、いいですよと許可を与えない限り、例外的に核が持ち込まれるということはない。そしてこれまで、事前協議の働きかけがきたことは一度もない。したがって、核兵器が持ち込まれたということはない」。しかし、こんな話を誰が信じるんですか?

高瀬 今、話が二つ出ました。1969年に佐藤栄作首相(当時)とニクソン大統領が密約を交わしたと言われているわけですが、アメリカが沖縄を1972年に返還したとき、「核抜き本土並み」、つまり当時沖縄には核があったが、核兵器を持ち込ませない形で返還するというのが表向きの話でした。しかし有事の際、沖縄に核兵器の持ち込みを認めるということが密約としてあった。この密約の前にあったもう一つの密約が、核を搭載したアメリカの艦船が日本の港に入るとき、日米安保で規定されている事前協議の対象にしないということ。これに関して、アメリカ軍は肯定も否定もしませんでした。ということは、持ち込んでいるんだろうと読める。しかし、そうではないと日本側は言っている。

こういうごまかしをやっているのが、核をめぐっての日本の姿勢であり、アメリカはそれを黙って見ている。

この話に関して言うと、密約を結んでまでアメリカの核を沖縄に持ち込む必要性があったのかという問題があります。実は外交文書にこの密約の話は出てきているのですが、広島の中国新聞の記事で、「沖縄に持ち込んで、そこから発射するような面倒はしないとアメリカは言っていた」と指摘されています。仮に沖縄に持ってきても、あまり意味がないことをアメリカはわかっている。

ではなぜ、密約を結んだかというと、中国新聞によると、アメリカの軍部が反対したからだという話になっているらしいのです。だったら日本側がアメリカに対して直接言えばいいのですが、言った形跡がない。

そうなると、その文脈から何が読み取れるか。日本側は役に立たなくても置いてもらいたい。日本側が望んだという感じがしてしまいます。

白井　歴史的資料が揃っていないので、ここはなんとも断言できないところだと思いますが、軍部の一般的傾向として、一度獲得した権利、利権はなるべく手放したくないという性質がありますから、せっかく沖縄で核基地の設備を築きこれを保持しているのは我々の権利なのに、それを手放す道理などないという突き上げが働いたという推測は成り立つと思います。

高瀬　日本は日米安保によってアメリカの核の傘の下に組み込まれ、軽武装でやってきた。だから沖縄返還にあたって、沖縄に核はいらない、米軍基地はグアムに移転してもいいということになれば、アメリカがいなくてもいいと考えているのではないかと、アメリカに思われることを日本側が恐れたということはないんでしょうか。

白井　私はそこがよくわからないと思うのは、結局、佐藤栄作という政治家はいったい何を考えていたのか、どういう方向性で行きたいと思っていた政治家なのかということです。

これはたぶん、これからもっと注目され、研究が進んでくることだと思いますが、佐藤栄作政権は結構長かったわけですが、核という問題についてはいろいろあった政権だったわけです。「非核三原則」を出したのも沖縄核密約を結んだのも佐藤政権のときですし、もう一つ付け加えなければならないのは核を持とうとしたのも佐藤栄作だったことです。

高瀬 核武装の研究をやっているんですね。

白井 水面下で西ドイツに働きかけたというか、自分たちだけで突出するのは怖いから、話を持ちかけたが断られたという経緯があるわけです。

高瀬 研究もいろいろやっていて、1967年、第二次佐藤内閣時代に、当時の内閣調査室が外郭団体の主催で研究会をやっている。結果、核爆弾を作ることは可能だが、日本の核武装は国際的に多大なマイナスである。安全保障上の効果も著しく減退するので、核武装は不可能だと結論づけています。

理由として、当時は核実験をできる場所がなかった。国土も狭く全土に点綴(てんてい)できない。点綴というのは、散らばって武装ができないということです。それから、ミサイルを地下格納できる場所がない。物理的に無理だということを言っている。

いずれにしても、日本は一度は核武装を考えたが、結果的にデメリットが大きかったということです。

白井 無理だという話になったわけですが、こういうことを一生懸命研究したというのは、日本の原子力政策にも深く関係しています。

これも後に機密文書の存在が明らかになりますが、同時期に外務省が出した文書がありますよね。核武装できる能力は、絶対に頑張って維持する。これについては、絶対に邪魔されないようにすると言っている。

そのときに、自前の核武装を可能にする技術は何かというと、原子力発電のフロントエンド事業とバックエンド事業なんです。原子力発電をやるときに、やり方はいろいろある。欲しいのは電力だけだということであれば、ただ単に原発を建てて、燃料は外国から買ってくる。それで、原子炉でウランを燃やすと使用済み燃料が出てくる。それは買った相手にお返しするというやり方もある。

フロントエンドというのは、ウランなどから核燃料を作る作業です。バックエンドというのは、使用済み核燃料から核物質を取り出す技術です。結局、フロントエンド事業とバックエンド事業の技術的な基幹の部分は、核兵器を作るのと同じ技術です。

だから、実は世界でも、公然と核武装をやっている国と、非公然の核武装の国がある。公然たる核武装というのは、いわゆる戦勝国であり、国連常任理事国の五大国です。それ以外の非公然の核武装というのは、NPT体制を破って核武装したインド、パキスタン、北朝鮮、あるいは持っているとも持っていないとも言わない方針を貫いているイスラエルといった国々です。これらの核武装国以外で、原発のフロントエンドとバックエンドの事業を自前でやっているのは日本だけです。

ただ、あまり技術水準が高くなくて、もんじゅも青森県六ヶ所村の再処理工場もうまくいっていないのですが、フロントエンドとバックエンドを自前でやるということの権利というか、国際的承認が必要です。もちろん「国際」と言った意味はアメリカが大きいわけで、アメリカの承認です。これに関してはついに譲らず、権利を保ち続けてきた。つまり、いわゆる潜在的核武装能力の涵養と維持は今に至るまでずっと行なわれている。しかし、核燃料サイクル事業はうまくいっていないし、うまくいく見込みもない。それでもこれをやめることができない一因は、やめることになったら、バックエンド事業をやる理由もなくなるということに結びついている点も押さえておくべきだと思います。

高瀬　これは重要なポイントですね。つまり日本が核武装の潜在的欲求を捨てていないということです。戦争被爆国として非核三原則を打ち出しながら、防衛上、政治上のことを考え、原子力の平和利用をやりつつ、ずっと核保有の考えを持ち続けているということですね。

それが安倍元首相の「持ち込ませず」をいずれなし崩しにするような発言に表れてきています。どこまでできるかは別として、ちらちら核に対する欲求が覗いている感じがします。

戦後の親米保守政権の中枢を占めてきた岸、佐藤、安倍の長州一族

高瀬　これらの流れを見ていると気がつくことがあります。今回の核共有の議論は安倍元首相の発言が発端ですが、安倍元首相は官房副長官だった２００２年に早稲田大学で講演をした際、「戦術核を使うということは昭和35年の岸総理答弁で『違憲ではない』という答弁がされている。それは違憲ではないが、日本人はちょっとそこを誤解している」と言って、物議をかもしたことがありました。私は「安倍さんはこんな人だったのか」とそのときに思った記憶があります。

岸信介元首相は、言うまでもなく、安倍さんの母方の祖父にあたります。そして非核三原則の確立とその裏で進められた核密約、核武装の研究に関わっていたのが佐藤栄作元首相。岸さんと佐藤さんは兄弟で、安倍さんは岸さんの孫。これを偶然ととらえていいんでしょうか。しかも親米政権。核と親米政権とこの一族のつながりをどうしても考えてしまいます。

白井　この一族の体質というか、傾向ですが、岸の時代はまだまだ日本を再建しなければならないような時代だった。佐藤栄作政権の時代は、再び先進国の立場を取り戻したときだった。取り戻したからこそ、そろそろ自前で核武装する権利が出てきたのではな

いかと考えたと推測されます。
　そして安倍さんは、日本が先進国から滑り落ちていく時期の宰相であり、滑り落ちていく傾向を促進、加速させた政治家ということになると思いますが、結局、この3人の共通点は軍事的なものの力によって、日本が一等国であることの証しを立てたいという傾向が非常に強い人たちだったことではないか。その点で共通していると言わざるを得ないと思います。

高瀬　白井さんが『永続敗戦論』でお書きになった、日本のねじれた構造の中にいる一人として岸信介がいます。戦犯にもなった人ですが、戦後はアメリカの力によって復活してきたとみられている。親米政権でありながら、しかし武力というもので日本の独立を勝ち取りたいとどこかで思っている。佐藤栄作にもその流れがあって、安倍元首相は岸の考えを支持しているということで、まさに戦後体制を体現した一族です。この3人を見ているとアメリカには表立って逆らえない、親米でやるしかないけれども、どこかで核を持つ可能性はずっと秘め続けるというねじれた構造が見えてくるんです。

白井　あまり一方的な批判にとどまっていても不毛なので、戦後の矛盾を考えるときにより深いところに迫るため、この3人の言動から戦後の日本が抱えている矛盾が赤裸々に見えてくるということを強調したいと思います。
　今回の安倍元首相の核シェアリングの話は、非核三原則などと言っていますが、そんなものは有名無実ではないかという矛盾を明らかにしているとも言えますし、岸さんの

「核武装も憲法違反ではない」という発言は、戦後の日本の平和憲法、憲法9条の下での武力の保持というのはどの程度認められるのかという大問題に関わります。一応、今でも維持されている政府の憲法解釈では、自衛のための最小限の武力の保持は認められるということになっている。そこで問題なのは、最小限とはどのくらいなのかということです。

最小限というのはファジーで、どうとでも解釈できる言葉です。日本刀を持っているのが最小限という解釈もできますし、機関銃までが最小限という考え方もあるでしょう。戦車は持ってもいいのではないかという考え方もありますし、敵方が核兵器を持っているのだったら、対抗するには核兵器しかないので核兵器が最小限になるという解釈もあり得てしまう。その矛盾を岸の発言は明らかにしていると言えるのではないでしょうか。

高瀬　安倍元首相も核について議論を喚起したいと思って発言したと思うのですが、核の共有について、ＪＮＮが２０２２年3月の上旬に世論調査をしています。その結果、核共有を議論すべきだという声が8割に及んでいます。内訳を見ると、核共有に向けて議論すべきが18％でした。これについてＴＢＳの記者が「わりと多い」と分析しています。核共有はすべきではないが議論はするべきが60％で、議論自体は前向きにとらえている人たちが約8割という数字を出してきています。核共有はすべきではないが議論はするべきというのをどう読むかは難しいですが、ウクライナ危機を受けてどうも戦争や核についての国民の意識に揺らぎが出ているのではないかという感じがします。白井さんはどう受け止めますか。

白井　ロシアのウクライナに対する今回の侵攻で何が一番怖いかというと、国家が武力を行使するという究極の判断に対する心理的ハードル、基本やってはいけないことであるという共通了解が一応国際社会には強固にあったはずですが、そのハードルが低くなってしまうという効果があることだと思います。そうすると、みんなが「あいつらもやってくるんじゃないか」と疑心暗鬼になってきます。

私たちもより備えを高めなければということになってくる。そうすると、それを見ている仮想敵国の方は「あいつらは戦闘的な姿勢ではないか」ということで、あちらも軍備を増強するということになり、いわゆる「安全保障のジレンマ」が昂進（こうしん）していくきっかけになってきつつあるのが本当に嫌なところです。それで核共有がどうなんだという話になりますが、四択の中で選びなさいと言われたら、私の意見に一番近いのは「核共有はすべきではないが議論はするべき」。ただし、安倍さんや高市さんなどを排除するのであれば、議論はしてもいいんじゃないですかと（笑）。

いかなるテーマでも「議論をしてはいけない」というのはおかしい

高瀬　前提として核保有はダメだとなっていますが、かといって議論することまでは否定できないと?

白井　どんなテーマであれ、一切議論をしてはならないというのは基本的にはおかしな考え方だと思っています。だから、議論はしなければならない。ただし、この手の議論を日本という土壌でやると、変に元気のいい人たちが出てきて、ろくなことにならない。ですから議論すらしないほうがいいというのが、これまでのリベラルや左派の判断だったのだと思います。

ただし、これだけ暴力への閾値(いきち)が低くなってきた中で、一切議論しませんというわけにはいかない状況になってきました。でも、議論しましょうかと言って、まともに議論したら明らかになることは何かというと、ほとんど議論する価値がないということです。

先ほどNATOにおける核シェアリングの基礎の説明がありましたが、要するに安倍さんや高市さんが言っているのは、なんとなくフワッとNATOとアメリカの核シェアリングをイメージして、ああいうのと同じ形を日米でやるべきではないかという感じで考えているのではないかと思います。

NATOは多国間の安全保障の枠組みです。それに対して、日米安保は二国間です。一応、NATOの加盟国の間には、少なくとも形式的には対等な加盟者であるという前提がある。だから、アメリカが「使うと決めたから使う」といったようなことはできない。

それに対して、日米安保体制というのは対等な同盟ですか?

高瀬　違いますよね。

白井　そうですよね。ですから、仮にせいぜい核シェアリングということを公然とやりますということになったとしても、それはただ単に非核三原則のうちの、たぶんあまり守られていない三番目の「持ち込ませず」という原則が今は秘密で破られているが、公然と破られるようになるというくらいの変化しか実質的にはない。かつ、その程度の変化しか本質的にはないが、そのことが国際的にどういうメッセージとして伝わるか。中国や韓国は強く反発します。

高瀬　今のところ、アメリカの核が持ち込まれていたことははっきりしているし、核抜き本土並みの沖縄返還があった後に、建前としては持ち込んではいないと言いつつ、「あるよね」くらいには思っている。開き直って「あっていい」とまでは言っていないので、中国としても北朝鮮としても何も言わない。実質同じことなのだから、言ってもいいじゃないかとなったら、これは全然違う話だということです。

白井　そうですね。だからそう考えたときに、マイナスしかないのではないですか？というのが私の考えです。議論をしたうえでほぼマイナスしかないことをみんなで確認するプロセスが必要なのかと思います。

高瀬　このときに大事なのは、日本国民の世論の力です。冷静に見ていかなければならないところがあると思いますが、プーチン大統領の発言で気になるところがあります。2018年の大統領選挙のときに、ロシアの政府寄りのテレビ番組の司会者のインタビユーに応じているコメントがニューズウィークに書かれています。そのとき、核戦争についてたずねられたプーチンは、「もしロシアの防衛システムが敵の核ミサイルを察知すれば、核兵器で報復する」と言っています。そして「核攻撃をすれば世界が終わる」という見方に対しては、「そう、世界を巻き込む大惨事になるだろう。だが、ロシアが存在しない世界なんてそもそも無用ではないか」とも言っています。

4年前の発言ですが、このような状況になってくると、日本国民がグラグラして「核武装だって考えていいのではないか」といったことを言い出しかねない。そういう危険性もあるのではないかと思います。

白井　今グラグラきているわけですが、実は元からグラグラしていたのではないかということだと思います。

冒頭に言ったように、「非核三原則」と「アメリカの核の傘の下に入っている」という二つの事柄はどう考えても矛盾です。そのことを長い間ごまかしてきたということですし、そのごまかしはどこから始まったのか。そしてどのように形成されてきて定着してしまったのかということを戦後の全般的な歴史経験の中から考えていかなくてはならないと思います。

高瀬　具体的に言うと、どういうことになりますか？

白井　原爆を使われたことの悲劇、悲惨というのは、私も広島に行ったことがありますし、本当に言葉を失うようなものだと思うわけですが、いったいそこから国是として何を教訓として取り出すのか、何を決意するのか、そのことをずっとあいまいにしてやってきたのが戦後の77年間だったのではないかと思います。私たちはこれからをどう考えなければならないのでしょうか。これからどうすべきでしょうか。

私は基本的に、核兵器に対する態度は論理的に二つあり得ると思います。

要するに、こういう目に二度と絶対遭うものかと決意したとき、それを実現するための回路は二つ。一つはこの世の中から一切核兵器をなくすという考え方で、一応、戦後日本の国是です。もう一つの考え方は、絶対これをやられないために自分たちで核兵器を持つということです。

高瀬　核武装論につながりますね。

白井　そういうことです。例えばイスラエルという国は、ホロコーストの経験からできている。イスラエルはしばしば、残虐なという評価をされることもあるし、強引なという評価をされることもあるし、暴力的だといわれることもありますが、なぜそこまでやるのか。絶対に生き残るということを国是にしているからです。

要するに、自分たちは絶滅されかけた。絶滅させられるくらいだったらほかを滅ぼすということが国是になっているということだと思います。

翻って、日本はどうか。核兵器を使われた、核攻撃をされたということを日本人は後の態度決定に関してどう受け止めてきたのか、態度決定を形成するためにどのように受け止めてきたのか。絶対にやられないために、やられたらやり返すのか。また、恐ろしい考え方ですが、やられる前にやるのか。これらの選択肢はあらかじめ排除され考えられていない。

高瀬　白井さんが以前、『マンガでわかる永続敗戦論』という本を出されていて、まさにその点が書かれていました。「唯一の被爆国である日本は、いかなる形でも核兵器に関わらない」という選択をしてしまったのではないか。そこから何か考えていけばいいのですが……。つまり、論理的には二つの結論しかないというところへ行かず、手前で止まってしまっている。そこで思考が衰弱していっているのではないかと白井さんが指摘されていて、これは被爆者にとっても被爆地にとっても耳の痛い話かもしれません。だけどそういう面は間違いなくあったという感じがします。

白井　そうですね。要するに「唯一の被爆国である日本は、いかなる形でも核兵器に関わらない」という結論は、あくまで論理的に可能な二つの結論を吟味したうえで、「進んで核武装する」という考え方を乗り越えたうえでなければ、本来たどり着けない境地のはずです。ところがなぜか一足飛びに、いきなり「核兵器に関わらない」という話になっている。私はそこにごまかしがあるのではないですか、ということを言いたい。

高瀬　「いかなる形でも核兵器に関わらない」というのは最後であって、「核兵器を絶対に廃絶する」のか「二度と他国から攻撃されないよう進んで核武装する」のか、議論をしなければならない。でも、議論しないですんだという点が戦後日本にはある。なぜかというと、核を持ったアメリカが実質的には日本を占領、支配していたからですね。その核の下で考えないでいいということになった。アメリカと日本の戦後体制そのものに関わってくるということですね。

白井　その通りです。自分でやることを考えなくても、アメリカの核兵器があるから大丈夫だということです。そしてそこに戦後日本をどのような勢力が仕切ってきたのかという問題が絡まってきます。佐藤栄作あたりが核武装を密かに考えていたという話だと、要するに「こんな奴が核武装とかふざけるな」ということになる。どうしてかというと、例えば佐藤政権では「期待される人間像」が有名ですが、いわゆる保守的傾向、戦前や昔を懐かしむ傾向が佐藤栄作は強かった。兄の岸信介さんに至ってはまったくの無反省。そもそも戦犯被疑者だった人です。

結局、大東亜戦争をやってしまった社会勢力がそのままごっそり残り、ごく一部だけトカゲのしっぽ切り的に切って再出発していったというのが、戦後の親米保守政権の中核部分の体制なわけですから、この人たちが核武装などと言うと、「何を言っているんだ！　話にならない」ということになる。

そして、ここから欺瞞(ぎまん)が始まるという話ですが、この親米保守勢力が戦後日本の主流派、権力中枢になっていく過程で、「原爆投下がどのように日本社会で意味づけられてきたのか」ということをよくよく考えるべきだと思います。

ここは非常に重要な論点だと思いますが、「なぜ米軍は核兵器を使ったのか」ということについては、さまざまな研究が百家争鳴(ひゃっかそうめい)でされてきました。日本はなかなかノックアウトされないので、本土決戦をやるしかない。本土決戦をやったら米軍側にも多大な損害は出るが、日本側にもものすごい損害が出るだろう。だから、最終決戦兵器として核兵器を使ったのは、日本にとっても結果的によかったはずだ。これが、アメリカ側がずっと唱えてきたストーリーです。

高瀬　原爆正当化論ですね。

原爆投下の最大の動機はソ連に対する牽制である

白井　それはあまりにもご都合主義というか、嘘だろうということで、このストーリーを突き崩すための研究がたくさんなされてきました。結局、いろいろな要素が積み重なって核兵器を使用する決断が形成されていったということが明かされてきたわけです。その中でも動機として一番大きかったのは何だったかというと、やはりソ連への牽制だということなんです。

高瀬　原爆投下への経緯を見ながら話したいと思いますが、１９４５年２月にヤルタ会談が行なわれ、米英ソによる戦後国際体制について合意をした。そのときに、日本が領有していた千島列島をソ連が領有していいと認めた。日本はソ連との間に日ソ中立条約を結んでいたが、ソ連に対日参戦していいという話をした。

白井　参戦していいというか、どちらかというとアメリカがお願いした形です。ソ連のほうは独ソ戦の消耗が凄まじい。それで、西部に兵力を集中させているわけですから、それをシベリア鉄道に乗せて東に持ってこなければいけない。それはしんどいが、千島列島を取っていいから手伝ってくれというようにアメリカのルーズベルト大統領がお願いして、スターリンが了承したと。

「これで日本を完全に屈服させられる」と安心して、ルーズベルトは亡くなります。そして7月に核実験、マンハッタン計画が成功します。アメリカ大統領はトルーマンに代わっていますが、実験場からトルーマンのもとに「原爆の実用化のめどが立ちました」と報告がきたときに、トルーマンは「これができるとわかっていれば、スターリンに借りを作らずに済んだものを」と臍（ほぞ）を噛んでつぶやいたと……。

高瀬　ソ連に対日参戦を頼まずに、自分たちだけで決着がつけられるのに、ということですね。しかし、約束をしてしまっているから、ソ連がいつか攻めてくる。（対日参戦は）ドイツが降伏して3か月後という期限があって、ちょうどそれが8月6日、9日の広島、長崎への原爆投下に重なってくる。9日未明に、ソ連軍がソ満国境を越えて進行してくる。

白井　要するに、なぜアメリカが原爆の使用に踏み切っていったかというと、何とかして日本をほぼアメリカ単独でノックアウトしたと印象づけられるような形で対日戦を終わらせたかった。これが最大の動機だと考えられますね。

高瀬　アメリカのガー・アルベロビッツという学者が克明にいろいろなことを調べていて、おそらくそのことが大きな要素だったのではないかと言っています。広島に原爆が落とされても依然として日本は戦争をやめる気がなくて、いろいろと会議を続けています。それで9日未明にソ連軍が入ってくる。これが、日本の指導部にとっては大きな衝撃だったと思われますが、同じ日の11時2分に長崎に原爆が投下されている。時間で言うと、ソ連軍の侵攻のほうが半日ほど早い。ここが非常に意味を持つと思っています。

白井　日本史の解釈として、ソ連軍が対日参戦してきたことが最後の一押しになったという解釈が有力ですが、印象の問題があります。やはりここで二発目の核爆弾を使って、戦争終結、ポツダム宣言受諾へとつながっていく。これによって、ほぼアメリカだけで日本をやっつけたという外観が可能になっていきます。

その証拠に、対日占領は建前上、連合軍による占領ということになっていますが、99%くらいはアメリカによる単独占領という形になっていくわけです。つまり、原爆を使った結果として、アメリカは戦後日本をどういうふうに処理していくか、フリーハンドに近い状況を得たわけです。

高瀬　広島に原爆が落とされて、その後ソ連軍が侵攻した。ここで終わっていたら、ソ連が侵攻したことが終戦に結びついたとして、ソ連が戦後の占領政策に大きな存在を示すことができる。それをさせないためにサンドイッチのように、長崎にもう一発落として、ソ連侵攻をはさみこみ、日本が降伏したのは、最終的にはやはり原爆を落とされたからだというように印象づけられている。

本当は、長崎への原爆投下は8月9日よりも遅いはずだったという説もあります。しかも、一つ興味深いエピソードは、テニアン島を飛び立つ原爆搭載機の補助燃料を燃料タンクに移送するポンプが壊れていることがわかっていた。なのに、バタバタと飛び立っていった。おそらく修理をすれば時間が遅れて、場合によっては8月10日になっていたかもしれない。しかし、部品の故障をそのままにして離陸したがゆえに、あとになっていろいろな原因で計画に遅れが生じ、燃料不足で第一目標の小倉に落とせなくなった。そしてそのままではテニアンどころか沖縄に着陸するしかないギリギリの燃料で、長崎に落としたことがわかっている。

なぜ補助燃料の移送ポンプの故障も直さず飛び立たなければいけなかったかは、一切、米軍資料には出てこないわけです。でも、ソ連侵攻の同じ日に原爆を落とさなければいけなかったからなのではないかということが考えられます。

白井 京都も原爆投下候補地の一つで、最終候補近くまで残っていましたが外されていったという点も重要ですが、戦後の対日統治を考えてのことです。京都を原爆で焼き払うということになると、日本人が持っている歴史や伝統に対する感覚からして、まずいことになると……。

高瀬 今、ロシアはウクライナのキエフ（キーウ）を落とそうとしている。キエフというのはロシア人にとって京都のような所で、これを本当に壊すのか。もし壊されたらウクライナの人たちがそのことに対して猛反発してくると想像されます。京都が原爆投下目標から直前になって除外されたという話につながってきますね。

原爆投下の時点ですでに〝戦後〟は始まっていた

白井　ここでのポイントは何かというと、原爆を投下するときに、原爆投下の時点ですでに戦後は始まっているということです。戦後レジームの設計というのは、すでに始まっている。核兵器を使うことによって、ほぼ単独でアメリカが日本をノックアウトした形になって、事実上アメリカによる単独占領になり、そうであるがゆえに、すでにこのときに始まってきていた東西対立の中でアメリカは日本を完全に傘下に入れることになっていった。そして、いわゆる民主化もされますが、逆コースへと反転していって、岸さんが復権してくる。こういう流れになっているわけです。

高瀬　8月6日、9日の時点で、米ソ冷戦がスタートしている。戦後体制がここで、決まったかどうかはわかりませんが、冷戦構造は早くも始まっていたと見ることもできます。

白井　岸さん、佐藤さん、安倍さんの系譜は、原爆のおかげで戦後日本の体制の中枢に居続けることができたということです。だから、この人たちの原爆に対する本音とは何だろうと。

高瀬　白井さんは分析の中で、「天祐だと思っているのではないか」とお書きになっています。実は2発目の原爆が長崎に落とされたときに、宮中では閣議が開かれていて、米内光政海軍大臣が何とか戦争を終わらせようとしていた一方、陸軍の阿南陸相は戦い続ける姿勢だった。これは有名な話ですが。この長崎原爆投下、ソ連参戦の話を聞いて米内海相は「天祐」と言ったと伝えられています。「言葉は不適当だと思うが、原爆やソ連の参戦は天祐だった」。米内さんがその後のことをどう考えていたかわかりませんが、この言葉とつながってくる話ですよね。

白井　米内の発言と少し文脈は異なりますが、この長州の一族にとっては、「天祐」ということになりましたよね。だから、安倍さんが首相在任期間中に原爆の慰霊式典で広島や長崎に行って原稿を読む際、使い回しの原稿を読んだことが批判されていますが、この人がどういう政治的出自で出てきて、権力を握り続けてきたかを考えれば、こんな人を式典に呼ぶことがそもそもおかしいんです。この人たちは、はっきり言えば、「原爆を落としてくれてありがとう」と思っているんです。

高瀬　分析をつなげていくと、結果的にそう読み取ることもできるのでしょうが。

ウクライナ侵攻で、戦争や核兵器についての関心が高まっていくと思います。そのときに、反戦非核という声も上がってくるでしょう。しかし一方でこういうときだから日本も変わらなければならない、防衛力を拡充しろ、場合によっては安倍さんの言っていたようなことはやったほうがいいという主張も強まる可能性があります。この両者のせめぎ合いに戦争被爆国である日本として、どんなふうに向き合っていけばいいのか、どんなふうに対応、行動していけばいいのか、大きな課題になるのではないでしょうか。日本の上にはアメリカがいますから、日本独自に簡単に決められることではないと思いますが、アメリカの核の傘の下に居続ける現状維持でいくのか、核の共有、疑似NATO的な選択でいくのか。核の保有という議論になっていくのか。いくつか選択肢があるわけです。極論ですけど独自防衛、日米安保もいらないという選択肢だってある。

日本はどのような方向性を持って考えていけばいいのでしょう。

白井　結局、先ほど私が言った論理的な二つの結論の吟味だと思います。絶対に核兵器はダメだと言うには覚悟が必要だと思います。究極的にどういう覚悟かというと、「核兵器を使うくらいだったら、使われたほうがマシだ」ということです。それはやられてももう報復しないということ。核兵器は人道に反するものだから、我々は絶対に使わない。あなた方は使うかもしれないが、我々は使わない。その覚悟だと思います。

高瀬　核攻撃を受けても仕方ない。それでも私たちは、核廃絶を言い続けて生きる国だという覚悟を決める。もう一つは何ですか?

白井　その覚悟がないまま、核兵器はダメだと言いながら核の傘はやっぱり重要だというような、よくわからないことをやってきたのが戦後日本だった。だから、いま岐路に立っているんだと思います。つまり、倫理的、道徳的な決断をするのか、それとも場合によっては必要なんだという立場に立つのか。場合によって必要だと言うなら、その必要をどうやって満たすのかを一番合理的な方法で追求する。アメリカの核の傘を使わせてもらうのか、自分で持たないとダメだという話になるのか、状況次第ということになるのでしょうが、私は二つに一つの選択が迫られてきているのではないかと思います。

高瀬　おそらくこれはキューバ危機を上回る核危機ではないかと、私は実感しています。そういうときに、広島を選挙区とする岸田さんが総理大臣でいるということは単なる偶然とは思えないという気がしています。岸田さんがどういう覚悟を決めることができるのか気になります。最終的には国民がどういう覚悟を持って、政治に迫っていくか。そこにかかっているのでしょう。

白井　先ほど言ってきたように、いったいどういう人たちが戦後この国を仕切ってきたのか。その末裔(まつえい)が安倍さんでした。その人が国民を守るために核共有と言っても、「はあ?」っていう話です。

本音のところでは原爆を落とされたことに感謝しているような人間に慰霊の言葉などを言わせるのは、犠牲者に対する冒瀆(ぼうとく)です。許しがたいことです。しかし、この構図の茶番に気づかないほど現代日本人は政治的に間抜けになったのです。

高瀬　毎年夏の式典のあり方も含めて、我々はこのままでいいのか、考えなければならないところへきていると思います。

3

歴史を私物化する「愛国者」

教育への危険な政治介入

過去の歴史にけじめをつけるという流れへの反発が表面化

高瀬　今回は、教育への政治介入の問題を取り上げます。2022年5月に公開された映画『教育と愛国』は、大阪のMBS毎日放送が2017年に制作したドキュメンタリーで、同年度のギャラクシー賞を受賞した作品に追加取材して映画化したものです。いま教科書で何が起きているかを丹念に抉り出した映画で、監督は、MBSの女性ディレクター斉加尚代さんです。

私たちはこの映画を拝見しましたが、まず白井さんに感想をお聞きしたいと思います。

白井　私が思うこの映画の一番いい点は、この20年強の時間の流れを丹念に追ったことだと思います。いわゆる愛国教育というか、教育への国家の介入、国家主義のようなものが増大してきていると言われるわけですが、それがいつ始まったかというと、だいたい今から20年前です。「新しい歴史教科書をつくる会」が出てきたのが二十数年前ですから、それがある程度実を結んできてしまったということです。

二十数年というと結構長いので、最初は変わった人たちがいるなあ、ぐらいの話だったのですが、実は着々と大きな力になってきていて、影響力も及ぼしてきています。二十数年というと、その頃生まれた人は成人になっていますし、少しずつの変化が教育、学校を変化させ、そこで学んだ人たちの価値観や考え方を現代的にしているというか、かなり大きく変わってきているはずです。

その時間の厚みを押さえたところに、この映画の一番の良さがあると思いました。

高瀬　「新しい歴史教科書をつくる会」が1997年にできて、同じ年には日本会議も正式にスタートしています。考えてみると、1993年に河野談話、1995年に村山談話が出て、過去の戦争責任に対してはっきりけじめをつけていこうという流れがありました。この時期にバブルは崩壊し、東西冷戦も崩壊していったという時代背景が、「新しい歴史教科書をつくる会」の結成に影響を与えた気がします。そのあたりはいかがですか？

白井　まさにいまご指摘の通り、1990年前後に、ある種のバックラッシュ（反動・ゆり戻し）として起きたということだと思います。1990年前後に、ソ連の崩壊などがあって東西対立の構造が崩れていく。今成人の人たちは記憶があるところだと思いますが、日本はアジアの中の日本であるということがあらためて確認されて、アジアに着地しなければならないという議論が割と盛んに出てきた。まさにその文脈でこそ、従軍慰安婦の問題をはじめとする歴史の問題がクローズアップされることになり、保守派がずっと居座っている日本の政府も、さすがにこれを認めなければならないというところに追い込まれていった。それで、河野談話も出るという流れができていった。

その後に、この流れに対する反発が表面化してくる。それが、1990年代後半から2000年代にかけてのことだった。バックラッシュとして始まった反発が、だんだん巨大化していって、安倍政権のように日本のメインストリームになってしまったのがその後の過程なのかなということですね。

国が歴史解釈を決定するかのような教科書検定の問題点

高瀬　教科書に関してはいろいろな問題があり、この映画にも出てくるのですが、中でも教科書検定が大きな問題として扱われています。

3月29日に教科書検定の結果が発表されていて、2023年度からの高校教科書、主に二年、三年生が使うものですが、教科書会社から241点の申請があり、239点が合格しました。今回の検定のポイントとして、戦争中の日本軍によるアジア諸国への加害についての記述というのが一つあります。

この中で政府の統一見解というのがこの問題の肝です。統一見解とはどういうことかというと、2021年4月に閣議決定をしているんです。

内容は、「従軍慰安婦」という言葉がありますが、誤解を招く恐れがあって適切ではないということで「慰安婦」にする。「強制連行」も相応しくないので「徴用」にする。

この線に沿って検定が行なわれた。これは大きいですね。

白井　大きいですね。非常な違和感を生じさせる理由の一つとして、国会、政府、政治家が歴史解釈を決定するような話になっている。なんの権利があって、そんなことをやっているのか。さらに内容面の問題ですが、「従軍慰安婦」と「強制連行」という二つの言葉が問題になって、とりわけ「慰安婦」は「従軍」を消したということですが、これは本来異論の余地がない話であって軍が主体になってシステムを作ったわけです。軍自体が女性を集めてそういうことをさせるのは、軍の本来業務ではないですから、その道のプロである民間業者を使ってやったわけですが、もちろん密接な連携のもとにやっているわけです。

ですから、あくまで軍が作ったシステムであって、軍という言葉を抜くのは極めて不適切で、物事の本質をぼやかす歴史修正主義だと言わざるを得ない。にもかかわらず、それを抜きたいという欲望はどこにあったのか。最大の欲望は皇軍の栄光ということです。大日本帝国の栄えある軍隊がそんな汚いことをしたはずがない、するはずがないという神話です。それを改めて作りたいというところから、「従軍」の二文字を削ったのだろうと解釈するほかありません。

高瀬　戦争中に「従軍慰安婦」がいたわけですが、学校で「慰安婦とは何か」を教えるとき、「慰安婦」という言葉だけではわかりませんよね。「従軍」という言葉があるから軍との関係、戦争との関係ということになります。先生も教えにくいのではないかという気がします。

白井　そうですよね。教える現場ではどうやっているのかと思いますが、仮に私が教える立場だったら、戦時における性暴力全般の話にいかざるを得ない。従軍慰安婦というシステムが作られた経緯は何であったかというと、日本兵が行なった戦場での性暴力が猖獗（しょうけつ）を極め、日本軍も「これはまずい」ということになっていわばはけ口となる女性を自分たちで連れて行くという形でできてきた。

　今のウクライナ紛争を見てもそうですが、次々と痛ましい証言が入ってきています。戦争が起これば、ほぼ確実に性暴力がある。そういった全般的な話をしながら、「あの戦争で日本軍はこういうことをしました」と説明するのが、きちんとした教育であると私は思います。

両論併記で歴史のとらえ方に幅を持たせる

高瀬　この閣議決定を受けて、教科書会社は表記を変えていったわけですが、実は政府が言う統一見解だけではなく、こういうものもあると両論併記した会社がある。この辺りに関して、日本の戦争責任について長年にわたって研究されている琉球大学名誉教授の高嶋伸欣（たかしまのぶよし）先生にお話をうかがいました。

高嶋　A社は「強制連行」を「徴用」と書き換えた。言いなりです。ところが、B社の「歴史総合」という今年から始まる新しい科目の教科書では、「強制連行」という言葉を使っているけれども、それに注記を付けて、言葉をそのまま残しながら、注記で日本政府が、戦時中に朝鮮半島から来たのにはさまざまな経緯があるというふうに言っている、でも研究者の間では、実質的に強制連行にあたるという研究もあると書いたら、これが検定で認められた。こういう言い方も認められるということでは、B社は言いなりにはならないぞと。

高瀬　A社とB社は全然違うのですが、A社は政府見解の通りに「強制連行」という言葉をなくして「徴用」と言い換えた。ところがB社は、政府見解もあるが別の研究では強制連行にあたる事例もあるとしたわけですね。そうすると、生徒が学校で学ぶときに政府見解は政府見解として示しつつ、強制連行が実態だという研究もあるからということで両論併記で幅が出ます。しかし、A社のものだと「強制連行などなかった」というように教わってしまう可能性もある。

高嶋　これは不当なやり方ではなく、徴用という当時の手続きを踏んだのだから問題はない。日本の植民地だったのだから、当時としてはやむを得なかったのだという言い訳を受け入れてしまうことになる。

高瀬　A社の場合は、検定のときに印刷にかかっていて間に合わなかったという話もあるのですが、出版社によってどういうスタンスで行くか、腹の決め方というか、そこで変わってきますよね。

白井「強制連行」と「徴用」が、概念としてどういう差異があるのか、なんだかよくわからない。

高瀬　私もそうです。結局、連れて来られるわけですから。

白井「お前を徴用する」と言われたら、断れないわけです。それって、強いられるということですよね。

高瀬　強制性ということを嫌っている気がします。

白井「強制というと人聞きが悪いからやめてくれ」というような国からの要求なのでしょうか。こういうところは教育に携わる者、教科書の執筆者、出版社、現場で教える教員がそれぞれのレベルでどれだけきちんとした実態を伝える努力をするかというところにかかってくると思います。

「強制連行」がダメなら、「強制的に連行」と言ったらどうなんでしょう。「募集はしたが募っていない」と言った人もいましたし。「強制的に連行したが、強制連行はしていない」と。

高瀬　私は数年前、長野県長野市の「松代大本営地下壕跡」を取材したことがあります。看板に「朝鮮の人たちを強制連行して働かせた」と書かれていて、市のパンフレットにも書いてあったのが、4〜5年前、「強制」の文字が消されました。市民と称する数人から「強制連行ではない」という抗議があり、市が市民に説明しないまま削除したのです。

やはり「強制」を消している。「強制」という言葉を隠したい、「日本はそんなことをしていない。向こうから来た人も多くいる」ということを強調しようとします。

白井　難しい部分はあります。松代大本営などで働いた人たちも、有無を言わさず連れて来られて働かされた人もいたが、他方で自主的に仕事を探す中でたまたまそこで働いた人もいた。「十把一絡げに全部を『強制』というのはおかしい」という議論が出てくるのは、必然性のあることだと思います。けれども強制的な状況は、間違いなく一部にはあったわけです。

高瀬　問題は、いろいろな働き方があったということで、表記を少し変えませんかということを、市民側にきちんと説明すればいいのですが、取材をした感じでは一部の人たちが役所に強い口調で電話をしてきたということでした。それに対応した市が、市民に説明しないまま消している。そのへんも問題だろうと思います。

白井　お役人的な事なかれ主義ですよね。ちょっと怖い目に遭うと面倒くさい。結局、それを差配している現場の人間が、なんのためにそういった施設を維持しているか、根本を理解していないからです。

高瀬　きちんと議論をして、歴史はもっと多様であるということを学ぶ機会にすればいいいが、日本が何かをやったということから逃げるために消してしまうのはよくないことです。

白井 私も松代大本営に行ったとき、現地の人から解説してもらいましたが、あそこにも慰安所があったと聞きました。そのことをきちんと伝えようとすると、史跡を整備した人たちはものすごく圧力をかけられて、ぼやかされたという話を聞きました。

高瀬 今いろいろ出てきている話は教科書検定に関するものです。教科書検定について説明をしておきたいと思います。

民間の教科書会社が編集した図書について、文部科学大臣が教科書の適性を審査。合格したものを教科書として使用を認める。1947年に制定された教育基本法に基づき、小・中・高等学校を通じて採用しているということです。

外国のことはよく知らないのですが、検定はどこでもある程度はやるものですか?

白井 私もそれほど詳しくはありませんが、かなりレンジの広い違いがあって、教科書を定めずに自由にやってくださいという国もあれば、国定教科書という形でこれしか認めないと全国一律に配る国もある。日本はその中で中間的という感じがします。

高瀬 私の子どもが通っていた小学校は、自由教育で知られる学校でした。一応教科書はありますが、授業の話を聞くと毎回先生がプリントを作ってきて、ほかの公立の学校ではあまり教わらないアイヌのことも教わっていました。でも、文科省から問題だという指摘は入ってきませんでした。

検定に基づいてきちんとやるか、そこは教育現場が工夫をすれば、かなり幅広いことができるわけです。

白井　先ほど話題になった役所、役人の無責任体質というものと自由とが共依存関係にあるというか、国は国の命令、責任においてこうしなければならないと強くは言わない。検定に基づいた教科書を使うことができる。でも、使えとは言っていない。

高瀬　だから独自にやっても、それに対して、検定教科書を使えとは言わない。現場に任されている酌量の余地はあるという感じがします。

検定教科書については、家永教科書裁判という有名な裁判があります。旧東京教育大学教授の家永三郎さんが教科書検定に対して、国を相手に起こした一連の裁判で、第三次訴訟まであって32年間訴訟をしてギネス認定されている。結論は検定は合憲ということになったわけですが、上級審にいくにしたがって検定を違法とする範囲が拡大していき、最高裁では南京大虐殺、婦女暴行、731部隊、草莽（そうもう）隊に関して削除しろという検定が違法とされました。

いろいろな問題が裁判の過程で出てきた。昔から、国がある方向性を持たせようとすることはずっと続いてきたわけです。白井さんがおっしゃったように、2000年以降、国の締め付けが厳しくなってきているような感じですね。

白井　そうですね。有名な家永裁判はどういう歴史背景だったかというと、戦前の大日本帝国のシステムというのは非常にリジッドに何を教えるか国がはっきり定め、命じるシステムだった。それが敗戦を契機にある意味自由になった。自由化されたが、他方でやはりある程度統制したいという欲求を日本の政界、官界がずっと持っていて、検定制度を通じて統制を強めていく。

それに対して、8月15日革命説ではありませんが、敗戦のときに革命があったのだという立場に立つならば、本来完全に自由でしょということで、その衝突が裁判として長々闘われてきた。その決着は何だったのでしょうか。それはたぶん政界・官界は命令はしないが押し付けるという無責任、教えるのは現場の裁量によるので実質的には自由というような無責任と自由が構造的に共依存するのが戦後民主主義の実態として残ったのだろうと思います。その構造がこの20年くらいでまた変化してきたというのが現在なのではないかと、大雑把に言えばそうまとめられるのではないか。

「表現の不自由展」をめぐる問題

高瀬 先ほど慰安婦の問題が出ましたが、これに関して「表現の不自由展・東京」が2022年4月に東京都国立市で開催されました。右翼の街宣車が相当来て大騒ぎになったものの、結果的に大過なく会期を終えました。

2019年には、「あいちトリエンナーレ」で「表現の不自由展・その後」が開かれることになっていましたが、平和の少女像などをめぐって政治家から疑義が出た。最初は大阪の松井一郎市長がツイート等で情報発信をし、河村たかし名古屋市長がそれを受けて「これは相応しくないのではないか」と述べ、３日間で中止になりました。

その後再開されましたが、その発言に大村秀章愛知県知事が「表現の自由は認めなければいけない」と反論しました。するとその大村知事をリコールするため、河村市長、高須クリニックの高須克弥院長らが署名運動を仕掛けました。これが後に大量の署名が捏造（ねつぞう）だったと発覚するという無様な形になりました。

おそらくこれらの失態が奏功して、右寄りの人から批判はあったものの、２０２１年に大阪で「表現の不自由展かんさい」が開かれ、国立市でも開催されたという流れでした。

白井　リコール署名捏造問題はかなり深刻な、悪質性の高い話で、高須さんや河村市長の刑事責任が問われる気配がないのは「なんなのだろう」とずっと疑問に思っています。

高瀬　トカゲのしっぽ切りのように、事務局長が逮捕された。本当はそうではなく、高須さんや河村市長の問題が大きいはずです。

白井　本当に深刻な疑惑だと思います。結果として、大阪、東京・国立市で開催されたのは、よかったと言えばよかったと思います。脅迫には屈しないという姿勢を社会の側が見せることになったので。

高瀬　敵失のようなところもありますが。

白井　開催のために動いた方たちは相当な苦労をされたはずなので、敬意を表したいと思います。

現代史研究の重鎮のみすぼらしい発言に唖然

高瀬　先述の映画の中に、沖縄の集団自決の問題が出てきます。これに日本軍が関与していることをなかったことにしたいという動きがありました。軍が関わる、軍は悪いことをするという点を消したいと……。

白井　その欲望がすごいですね。沖縄の集団自決の問題をなかったことにするというのは、当然、かつて沖縄からものすごい反発を受けた。またぞろそれを消すというのは、沖縄から上がった怒りの声を踏みにじるということであるわけです。

高瀬　日本の戦争を考えてみると、日本の国土は空襲でやられましたが、市街戦は本土では経験していません。唯一経験したのが沖縄本島や周辺の島々で、凄まじい戦いになる。そこに軍が関与していないと言われたら怒りが出てくる。その沖縄の気持ちをまったく考えていない。

私は驚きましたが、この映画の中に伊藤隆さんという東京大学名誉教授が出てきます。この人は日本の歴史はそんなに悪いことはないと言いたいようなのですが、「歴史から学ぶ必要はない」とはっきりおっしゃった。「どんな日本人を作りたいのか」との問いには「ちゃんとした日本人を作りたい」と。「ちゃんとした人間とは？」と聞かれ、「左翼ではない」。笑ってはいけないですが、あきれ果てて笑いが出てしまったんです。白井さんはどう思われましたか。

白井　私は日本史プロパーで研究者としての修業をしたわけではないので、伊藤隆という人が歴史学、現代史研究の中でどれくらい重きをなす人かはよくわからないのですが、伝え聞くところによると相当の重鎮らしいです。重鎮が言っていることが「なんだこれは？」ということなのですが、まず「歴史は学ぶ必要がない」、これは何を言いたいかというと、普通歴史というのはそこから教訓を読み取るというのが一般的に言われることですが、好意的に考えると「そういうことではない」と言いたいのだと思います。それこそ、小林秀雄風の歴史観だと思います。歴史というのは、その前に呆然と立ち尽くすべきものである、呆然と立ち尽くして一体化するしかないというような。それはそれで一つの歴史観で、確かに歴史は単に客体化できないもので、そういった歴史観があることは理解しますが、そこから何が出てくるかが問題で「ちゃんとした人間を作る」、そして「ちゃんとした人間とは左翼ではない人間で、反日ではない」というようなことを言っていた。「反日」という言葉は、現代のネットスラングです。

要するに、こんな高齢で、本来、さまざまな経験を積み重ねてきて人間的に成熟していなければならないはずの方が、そういうネットスラングのようなもので「ちゃんとしている、していない」を語るというのは「なんなんだ。みすぼらしい」と。

高瀬　個人攻撃をするつもりはありませんが、東京大学名誉教授ですから最高学府の中の最高学府の教授です。しかも、権威を持った研究者であるのに、「歴史に学ぶ必要はない」と……。それは白井さんがおっしゃったように、小林秀雄のような歴史観にしても、教科書でどうするかという話であり、茫洋と立ち尽くしていては歴史を俯瞰できないわけですから、歴史から何を学ぶかという視点がなければいけない。

私はこの発言を聞いていて、学識なんか完全に吹っ飛んでいて、どこかに日本が世界の中心であるとか、あるいはアジアを下に見ているという印象が拭えませんでした。そういう歴史観にすべてが消されていくような感じです。せっかく磨いてきた学識が簡単に吹っ飛んでいる感じがして恐ろしい気がします。

白井　東大は、もともと平泉澄、皇国史観の大親分がいたところですし、超保守主義的な歴史学派、学統がずっと残っているのではないでしょうか。

道徳の教科化による教科書検定意見はほぼ言いがかり？

高瀬　このコメントを引き出したインタビューはなかなかだったと思います。

道徳の教科化という話もあります。それに関して言うと、２０１８年に73年ぶり、戦後初めて道徳が正式な科目になりました。そのときに教科書が必要ということになるわけですが、小学校一年生のための教科書として、パン屋さんの記述がありました。
これはどういうものかというと、ある少年が街の魅力を発見するということで街を歩く。そこにパン屋さんが登場する。これに2017年に検定意見が付いた。どういう検定意見かというと、「我が国や郷土の文化と生活に親しみ、愛着を持つことの意義を考えさせる内容になっていない」というものです。
これに対して、ある教科書出版社がどう変えたかというと、パン屋を伝統的なお菓子を扱う和菓子屋に変えた。そうしたら検定に通った。そのとき思ったのは、「なんなんだこれは！　ばかばかしい」ということです。なんと言ったらいいんでしょうか。

白井　有名な「パン屋反日事件」ですが、何が起こったかを推測すると、検定をする委員会の人たちが、忖度したのだと思います。愛国的方針が出てきたので、それに従って何かをしなければいけない、検定意見を付けなければいけない。とは言っても、道徳の教科書を隅から隅まで見て「ここは愛国的ではない」と言える箇所を発見しろと言っても難しい。だから、「なぜパン屋なんだ。パンは舶来品じゃないか」という言いがかりをつけた。

高瀬　戦争中に野球でアウトやセーフ、ストライクは敵性語なので、「よし」とか「だめ」と言い換えさせたのと同じ発想ではないでしょうか。

白井　言いがかりをつけて、仕事をしたことにした。

高瀬　教科書会社のほうも、「和菓子屋にしておくか」としたら通ってしまった。これも舐めた態度と言えば舐めた態度ですが、こんなことで時間を取って教科書を変えている。

白井　そこに膨大なブルシットジョブが発生している。

高瀬　『教育と愛国』は、国の考える一つの価値観を押し付けるというかなり深刻な状況を浮き彫りにしているのですが、見れば見るほど、薄っぺらな感じが出てくる。トーンとしては深刻な番組なのに、見ていて「なんだ、この程度で変わるのか？」といった感じも受けました。

白井　本当に安っぽい。日本史の重鎮が「反日的」という安っぽい言葉を使って、教科書に表れる愛国精神は何かというと、パン屋ではなく和菓子屋であると。愛国、愛国と言っているが、この安っぽさは何だろうと思います。

高瀬　この安っぽさはどこからくるのか、道徳の教科化の歴史を簡単に振り返ると、1958年に「道徳の時間」ができる。戦争中に道徳が日本を間違った方向に持って行ったという反省があって戦後は教科から排除されたのですが、1958年に〝復活〟したわけです。教科ではない「教外活動」ということで副読本ができた。これでずっと進めていました。

ところが、2006年、第一次安倍政権が教科化を打ち出した。しかし中教審（中央教育審議会）から「国が心の中を評価するのはどうなのか」と指摘されて見送りになったのです。その後、２０１２年、第二次安倍政権が誕生すると再び道徳の教科化を言い出しました。そして２０１４年に中教審のメンバーが入れ替わり「格上げ」にするということで答申を出して、18年春から小学校、19年から中学校で教科になりました。政権側は道徳を何とか日本人に教え込みたい。そういう狙いです。

白井　そうですね。道徳はもともと、戦前の修身にルーツがあります。修身は、戦前ある意味でもっとも重要な科目でした。大日本帝国の臣民はどうあるべきかをしっかりと叩き込む科目であり、そうであるがゆえに日本ファシズムの中核をなすものであるとして戦後改革の中で取り去られた。それに対して、自民党をはじめとする保守派はずっと不満を持っていて、第二次岸内閣のときに科目ではないが道徳として復活した。家永裁判と同じ構図で、保守派の戦前回帰欲望と戦後の民主主義がせめぎ合うような形でやってきて、それで安倍さんということになったわけです。

高瀬　安倍さんがそういうことを進めていきます。映画の中で「日本人としてのアイデンティティーを作る。一丁目一番地は道徳心」という安倍さんのコメントが出てくる。安倍さんはずいぶん嘘をついてきたと思いますが、これはどう考えればいいのでしょう。

白井　安倍さんに道徳についてお説教されるのはなかなかシュールな状況ですが、この人が教育問題にこだわるというのは、この人が空っぽだから仕方ないというか、空っぽであればあるほど教育にこだわるというところがあります。この人もネトウヨの大将のようなものですから、要するに日本人であるというところが自分の価値とダイレクトに結びついてしまっていて、それ以外に自分に価値を認めることができないという寂しい状況なわけです。あなたが日本人であることはあなたの努力でもなんでもなくて、たまたまそうなっただけという空虚極まるアイデンティティーなんですが、この20～30年、多くの日本人がそういった精神状態になっているので、安倍さん的な空虚さにシンクロする人が増えている。

それから、全般的な傾向として、教育問題というのは政治家はすごく好きなんです。なぜ好きなのか。票が取れるからです。

高瀬 みんな興味がありますからね。

白井 そうですし、身近に感じられるからなんです。例えば、ある政治家が林業について詳しいとします。日本の林業にはこういう問題があって、こういう歴史的経緯があってと非常に熟知している。だから、今どうするべきかという優れた政策を持っているとします。では、この人が東京の選挙区で林業の話をして票が取れるかというと取れません。みんな林業を知らないし、関係がないと思っているし、関心がないからです。いろいろな社会問題がありますが、そのうち多くの人が関心を持ってくれる問題はそんなに多くない中で、教育というのは、たいがいの人が学校には行ったことがあるので自分のこととして考えやすい。すごく安易なんです。それで、多くの人が世の中がうまくいっていないのは教育のせいにしたがります。

教師業をやっているとよくわかりますが、私が日本はああいう問題、こういう問題を抱えているといろいろ話をすると、「やっぱり教育がいけないのではないですか、先生」と多くの人が言ってきます。確かに教育が大事なことは私も認めますが、そんなに教育に期待をされても困るというのが、教育に携わる一員としての偽らざる本音です。教育だけ、学校だけでどうにかなんて絶対にできません。

「日本がうまくいっていない、世の中がうまくいっていない、それはなぜだ。それは日本人がダメだからだ。なぜダメなんだ。教育が悪いんだ」と。これは安易すぎる発想です。

日本学術会議の任命拒否問題と戦前の滝川事件

高瀬　家庭教育の問題もあるはずなのですが、それを棚に上げておいて学校教育のことばかりを言う。

それに関連して、日本学術会議の任命拒否の問題がありました。菅内閣が発足してすぐの2020年9月、菅首相が、6人の委員の任命を拒否しました。今も撤回をしていないわけですが、理由がよくわからない。任命拒否の理由について聞かれた菅総理大臣は、「日本学術会議の総合的、俯瞰的な活動を確保する観点から判断」と抽象的な話で終わらせている。

結局、その後報道も少なくなって、任命されないまま欠員になっています。この問題はどのように見ていらっしゃいますか。

白井　日本の学者は、はっきり言ってだらしないです。

高瀬　会長がいろいろ話していますが、これに対して学会が徹底的に闘うという姿勢がもう一つなかったという気がしてなりませんね。

白井　全然ないです。結局、菅さんが任命拒否をやったときに大問題になり、梶田会長が菅さんのところに面会に行くわけですが、終わった後に「どんな話をしたのか」と聞かれて、「未来志向の話をした」と。本当に終わっていると思いました。未来志向とはどういうことなのか。菅首相の側からすれば、もう終わったことだから先の話をしようという態度を示されて、それに呑まれてきたわけです。どうしようもないです。

要するに、辞表を胸ポケットに入れて首相に会いに行ったのかという話です。そんなことはしていないわけでしょ？　そもそも、そういう覚悟のない人間が重鎮級の政治家と交渉などできるわけがない。

高瀬　このとき、拒否された先生たちはテレビのインタビューなどにきちんと答えていらっしゃいました。そういうような姿勢を見せる先生ほど、任命拒否にあっているように思えます。もう一つ気になったのが、国民の関心が低いのではないかということ。学術というのは普段の生活からは遠いもの、高いところにあるもので、多くの人にとっては自分には関係ないという感じがどこかにありそうです。実際に難しいこともあるのでしょうが、メディアがこのニュースをやっても、あまり視聴率の数字が取れないということもあったのかもしれません。

結局、学術会議と国民の間に乖離（かいり）があって、国民が「大変なことだから絶対に負けるな」と学術会議を後押ししたようにも見えない。

白井　今の日本人の多くの精神モードが反知性主義ですから、学者などは嫌いなんです。「賢そうでムカつく」「偉そうにしている」「頭よさそうで鼻につく」というのが基本モードなので、学者を叩いたほうが票になるということだと思います。

この事件は、戦前の滝川事件になぞらえられたりするわけですが、滝川事件の時代のほうが、よほどまともな社会でした。この事件があってから、滝川事件のことを本を読んで勉強したりしましたが、あのときに京都帝大法学部の教員たちは全員辞表を出すわけです。結局、切り崩されたりもしますが、一部の大物教授は辞めて立命館に流れていき、立命館の法学部の基礎を築いていく。

それから世論の反応も、当時すでにかなりファッショ化していて、もう抵抗できなくなっていたという雑なイメージを持ちがちですが、そんなことは全然なかった。論壇誌でも、おかしな学問弾圧だという批判がガンガン出ていたし、一番大きいのは学生です。学生たちが、猛烈に運動をしているんです。

現代はどうか。日本学術会議任命拒否のアンケートを取ると、年齢層が上になればなるほど「これは問題だ」、下になればなるほど「別にいいのではないか。政府がやっていることはおかしくない」と、はっきりした傾向が出ている。現役の学生の年齢層が、一番これを問題にしていない。

高瀬　どこかの学校で学生たちが「この問題はおかしい」と声を上げたというニュースを聞いた記憶がありません。今これを危ないと思っているのは、きっと1960年代に学生運動で闘った人たちが多いのでしょうね。

白井　そうした現実を見れば、滝川事件のときの日本社会のほうがまともだった。

高瀬　それは恐ろしい話で、それだけ、まだ権力と対峙できた社会であったのに、結局あの戦争に飲み込まれていったわけですからね。今はその歯止めすらおぼつかない。

もう一つ気になるのは、報道の力が低下しているのではないかと思うんです。学術というのは大衆から見たら堅苦しい話かもしれないが、それを視聴者や読者につなげていくのがメディアの役割だと思います。しかし、これは多くの国民と関わっている話だということをどうやって〝翻訳〟していくのか。そこのところがちょっと弱い。戦前に比べたら桁違いのたくさんのメディアがあるのに、あまり役割を果たせていない感じがします。

白井　端的に言うと、人間の劣化だと思います。例えば、学術会議問題で言えば、フジテレビの平井文夫（上席解説委員）の発言です。学術会議の会員になったら、そのまま学士院の会員になってすごくいい年金をもらえるといったようなとんでもないデマを流した。

皮肉なことに、平井文夫は立命館大学の出身で、客員教授もやっている。

高瀬　戦後の一時期まで、立命館は非常にリベラルないい大学だとされていました。

白井　滝川事件が今日の立命館大学を作ったという面があります。だから、なんとも皮肉な話です。

高瀬　立命館大学全体が悪いと言っているわけではありませんが、それだけ時代が変わったのだという気がします。

いろいろと見ていくと、日本の政府、国家がこれだけ教育に介入してくるというのは、戦争ができる国にしていきたい、それに反対しない人間を作っていきたい、あるいは国家主義的なものを涵養したいということが透けて見える気がします。

白井　全体的にはその流れだというのはその通りだと思いますが、それで何ができていくのかというと、先ほどキーワードは「安っぽい」という話になりましたが、本当に安っぽい。道徳を教科化するとは、点をつけるということになっているのか、私の子どもが4月から小学校に通い始めるので、現状どうなっているのか子細に観察したいと思います。「きみは道徳度A。きみはB、きみはC」というようにやっていくのか。

高瀬　映画の冒頭に、おじぎがどうこうという話が出てきます。そんなこと、どうやって教えられるのかと思いながら見ていました。

白井　結局、日本人のよくある特徴である、左右をきょろきょろ見て自分もこうしようという傾向を助長することになっていくでしょう。ますます、自分を持たない、左右を見てただひたすらそれに合わせる、合っていない人間を見ると「おかしい」と言って数を恃んで攻撃する卑屈、卑劣ないやらしい人間を大量生産していくという方向に進んでいるのだろうと思います。

右派系教科書の採択が伸び悩む一方で、新しい試みの教科書も登場

高瀬 先ほど教科書の話が出ましたが、育鵬社の歴史教科書が一番保守系、右派系で、日本の責任を薄めるような記述をしていて、一時期、全国のシェアが6%までいきました。6%というと、バカにできない数字だと思います。しかし実はこの教科書が伸び悩んでいるということで、琉球大学名誉教授の高嶋さんに説明していただきました。

高嶋 実は中学校の教科書はフルカラーになっていて、一学年分で120万部必要です。10%、12万部くらい取らないと採算が取れることにならない。ですから、6%ではまだ採算が取れないので、育鵬社の人は「この先10%を目指す」と言っていました。

高瀬 最近はこの数字が変わってきたと聞いているのですが。

ところが、この番組などが紹介されたのが2017年で、そのために一昨年の夏の採択のときに全国で「この教科書は危険だ」という市民の声が上がって、特に生徒数

が多い横浜と大阪が採択していたのですが、教育委員会に「この教科書は問題です」という市民の声がたくさん寄せられた。そこから逆に採択率ががた減りになり、歴史が2%、公民が0・6%まで落ちてしまいました。ですから、増加する勢いは弱まったということになります。

高瀬　やはり報道されることによって、それに対するカウンターの力が働いて、かろうじて日本社会を保たせているという気がします。

白井　今の話は、なかなか勇気づけられる話だと思いました。ある意味、おかしいと思ったら然るべきところへ行くということが一定の力を持つということです。

高瀬　教科書の選定はどこがするかというと、各自治体の教育委員会です。そこの人たちも、必ずしも文部科学省の言うことだけに足並みを揃えているわけではなく、いろいろな人がいて、さまざまなことを考えているので、市民から声が来るとそれに対して反応するというところがまだきちんと機能しているという感じがします。

教育をどうするかということが大事ですが、いろいろ聞いていて、主権者として、主権者教育をどうやっていくかという考えがベースにないと、「選挙に行きましょう」と言われても、なかなか投票率は上がりません。

高嶋さんが紹介して下さった高等学校の公民科用の『公共』という本があります。その中に「政治参加」という項目があって、日本の若者の投票率がなぜ低いか、北欧と比較しながら解説しています。「スウェーデンでは、若者の投票率が80%を超えている。日本の中高生にあたる生徒たちが四年に一度の国政選挙の年に学校選挙を実施する。集計された学校選挙の結果は、選挙結果が公開された後に公開する」と書かれている。選挙には直接影響を与えないけれども、「これから選挙権を持つ若者はこういう党を支持しているのか、この党は意外に伸びていないな」ということを政党が知ることになり、次の選挙に影響してくる。選挙権はないが、若者たちが間接的には政治に影響を与えていけるということを実際に経験しているというのです。

日本でもそういうことをやっている学校はあるようですが、多くは政治の中立性という名のもとに政治問題をダイレクトには教えない。そうではなくて、日本でも例えば何か問題があったときに高校生で請願をする方法もあるはずです。議会に働きかけなくても、実際の自治体に働きかけて請願を持っていけば変えられるということも書かれています。

高嶋　北ヨーロッパでは全部の年齢を含めて投票率が高い。デンマークでは国政選挙で80%を割ったことがない。

高瀬　若い人も含めて全体で？

高嶋　全体です。若い人も80%を超えている。直近の国政選挙では85%だったそうです。スウェーデンのグレタさんの環境問題のアピールのように若者が声を上げるのを社会が支える。当たり前だという雰囲気が北ヨーロッパではなぜできているかというと、小学校のときから、いろいろな社会問題に関心を持ちましょうという教育を実はしている。そして、集会やデモのやり方まで教えています。ドイツでも教えているそうです。

そうすると、子どもは自分たちで議論をして、大人たちもわかってくれるような意見の出し方をまとめあげて、それを集会やデモで表現したら大人たちは応えてくれているという達成感を経験してきているんです。

それを日本の若者もやるべきではないですか、とこの教科書は呼びかけて、請願という制度を紹介している。こんなに詳しい請願の説明のある教科書が登場したのは初めてです。

高瀬　文部科学省の教科書の政策というのは一つの価値観の中に狭めていこうという感じがありますが、一方で、教科書会社もいろいろなことを考えていて、それ一本ではないこともわかってきています。こういう話を聞いていると、捨てたものではないというところがあります。

もうだいぶ前になりますがデンマークやスウェーデンに取材に行ったことがあります。実際、まったく社会が違っていて、税金は高いが納税者の意識が非常に高い。そういった中で、こういうものが出てくるのだろうと思います。日本と比べたら、その時点で絶望的になりますが、目指していくのはその方向ではないかという気もします。

主権者たる意識は、個々の内面的確信からしか生まれてこない

白井　そうですね。そういう教科書を作る試みがされているのは非常にいいことだと思いますし、どんどん広がっていけばいいと思います。他方で、先ほど学校にそんなに期待されても困るという話をしましたが、できることの限界もあると思います。

年々思うことですが、若者の元気がなくなってきている。大人もそうですが。なぜかといったら、「所詮、君たちは無力だ」と四六時中ずっと囁かれているような生き方を日本人はせざるを得ないということだと思います。そうなってくると、すべてがどうでもよくなってくる。その中で「君たちは主権者です」とか言われても、空虚極まるわけです。これは教科書だけでは到底解決できないもので、だいたい主権者教育ってパラドックスに満ちたものであって難しいものです。

パラドックスとは何かというと、主権とはどういう意味か、原語はソブリンです。ソブリンはどういう原義かというと、「この上ない、至高の」という意味です。では、それがなぜ「主権」ということになるかというと、主権の上にさらなる権限というのはないから、主権者とはこの上なき者ということなので、ソブリン＝主権という意味合いが

でてくる。

では、主権者教育とは何かというと、「はい、皆さんはこの上ない者なんですよ」と上から教えてあげるということです。だから、主権者教育には根本的に逆説があるわけで、私はある意味、できないものだと思っています。

主権者であることというのは、一人ひとりの内面的な確信からしか生まれてこないものであって、それを外発的に外から注入することはできない話です。

高瀬　そうすると、教育の意味、役割はあまりなくなってきませんか？

白井　そうでもなくて、2×2＝4であることを教えるように、「君たちは主権者です。法律によって、そう定められています」と言っても意味はないということです。

高瀬　上から言うだけでは効果がないということですね。つまり、内発的なものがどこかで育たなければいけない。それは学校教育だけではできない。社会全体の問題でもあるだろうし、家庭の問題もあるということですよね。この議論は堂々巡りしそうな感じがあります。どこから変えていくべきなのでしょうか。

白井　各人が自分のことをかけがえのない存在だと腹の底から思うことでしょう。それがたぶん、本来主権者たることの最初の前提条件だと思います。よく日本人の自己肯定感の低さが言われますが、それは自分が価値あるものだと思っていないということです。

高瀬　先ほど、白井さんがおっしゃった言葉で印象に残っているのが「無力だ、無力だ」と子どものときから言われ続けている、と。これは、日本が1990年を境に経済が下り坂になっていったことと関係しているのでしょうかね。それまではバブルや、その前の高度成長期があって、多くの人の生活が非常に豊かになっていった時代です。思い違いにしても、「日本はすごい」という自信があったと思います。それがこの30年間で本当に自信をなくしてしまった。こういうことが影響しているかなという感じがします。

白井 なぜそうなっているのか、自分で気づいて勉強していけば、変な右傾化などしなくて済むわけですが、そのためにはきちんとした知識を教えることが非常に重要になってくるわけです。今日は歴史教育が大きなテーマになりましたが、大学で教鞭をとっていて思うのは、本当に大事なことを何も習っていないということです。偏差値が高い学校でも、あまり高くない学校でも同じです。

高瀬 それは近現代史ですか？

白井 近現代史の中の重要なことを全然習っていない。例えば、逆コースということは戦後の統治構造の基礎で、戦後を考えるうえでもっとも重大なことだと私は思っていますが、全然そんな認識がない。

では、自分が受けた教育はなんだったのかと振り返ってみると、一つ思い出したのは、高校三年生のときに駿台予備校に行って現代史の授業を受けたときの話です。そのときに福井紳一先生という現代史のエース級の先生がちょうど岸政権の話をしていたのですが、笹川良一の話が出てきました。私たちが子どもの頃に、日本船舶振興会のテレビC

Mがしょっちゅう流れていた。「戸締り用心、火の用心」という歌があって、最後に笹川が「一日一善」と言うやつです。福井先生が、「君たち、日本船舶振興会のCMを覚えているでしょう。一日一善と言っているおじいさんは笹川といって、実はとんでもないファシストなんだよ」と言われて、衝撃が大きかったです。

高瀬　私たちより上の世代はそのことがわかっていますが、ちょっと世代が変わると、CMの印象ですよね。

白井　その衝撃の中から、日本の戦後は民主主義になったということになっているけど、一枚皮をめくれば、とんでもない話で、ファシストがこんなに生き残って偉くなっている。その総大将が岸なんだと。そこが戦後日本の本当の土台であるということをガンと叩き込まれている。

高瀬　教師の一言の大きさですね。昔の予備校の先生は本来の受験教育からはずれた話をいろいろしていて、それが面白いし影響も与えていた。そういう意味では、教育に限界はあるかもしれないが、白井さんが生徒、学生に向けて放つ言葉は大きいということになります。

白井　今紹介したのは一つの歴史の見方であり、その後、自分なりに勉強していろいろな見方を学びつつ、その中から「やはり福井先生が言っていたことは基本的に正しい」と確信するようになります。そういうふうにして学んでいくことが理想的というか、一番大事なことを現場の人間が鮮烈に伝えていけばメッセージとして残るのです。仮に、極めて右翼的な歴史観に基づいた教師が右翼的なことを言ったとして、それはそれで生徒、学生にインパクトが残ります。受け取って「本当にそうなの？」と思って自分なりに勉強をして、それで「これはおかしいんじゃないか」という形で確たる歴史観を構築していく、そんな学び方が真っ当だと思います。

4

差別を撃ち続けた「突破者」の遺志

共同体が崩壊した日本

亡くなった宮崎学の主張とは何か？

高瀬　自らの半生を赤裸々に綴った『突破者』で知られた作家の宮崎学さんが、2022年3月30日、老衰のため亡くなりました。享年76でした。まだまだ活躍できる年齢で、その死を悼む多くの声が上がっています。

宮崎さんは、1980年代に世間を震撼させた「グリコ・森永事件」の〝キツネ目の男〟ではないかと疑われたこともありました。数々の著作とともに、強烈な存在感を見せつけた作家でした。この章では宮崎さん追悼の意味も込めて、宮崎さんが主張し続けたことは何だったのかを考えてみたいと思います。

白井さんは生前の宮崎さんと何回か仕事をされたということですが、どんな出会いだったのでしょうか。

白井　シンポジウムの席をご一緒させていただいたことが二、三回あると思います。仕事のうえでそんなに濃厚な接点を持てたということはありませんが、共通の知人が多くて、非常に強烈で面白いエピソードが聞こえてくることがありました。

私が一番記憶に残っているのが、今はもうなくなりましたが、宮崎さんがよく行っていた飲み屋さんが新宿三丁目にありました。私がかなり親しくしているある出版社の社長さんもそこによく行っていて、宮崎さんとも親しいのですが、その社長のもとに、岡山県から来たちょっと変わった女性が訪ねてきた。その女性は「宮崎さんの熱心なファンだ」と言うので、「だったら会わせてあげるよ」とその店に連れて行き、宮崎さんに電話をして「あなたのファンがいるから、今すぐ来なさいよ」と言ったら「わかった」と。それで、待っている間に女性の話を聞くと、どうもかみ合わない。それでわかってきたことには、なんと実はその女性は宮崎学のファンではなく、宮崎哲弥のファンだったと(笑)。そこに宮崎さんが現れて、「いやあ、宮崎違いだった」と言ったら「しょうがねえなぁ」と言って、楽しく飲んだだと。

世間的には、アウトローでその筋の人で恐いというイメージがあったと思いますが、私も実際に会った回数は少ないですが、本当に人情味あふれるオーラを感じました。

高瀬　いくつかの著作を紹介しながら話をしたいと思います。本当に荒っぽいことがたくさん書かれているものの、どこか繊細な感覚もあるし、人情味があるし、それが正義感となって現れて爆発していく。普通だったら止めなければならないところで暴力に向いてしまうとか、非常に振れ幅の大きい人だという印象があります。

宮崎さんがあまりテレビに出なくなって10年以上経つでしょうか。よく知らない若い人もいると思いますので、簡単に宮崎さんのプロフィールを紹介します。

1945年京都生まれ。『突破者～戦後史の陰を駆け抜けた50年』という作品でデビュー。その上巻の冒頭で「我が国の長い歴史の中でも特筆されるべき不名誉な年に生まれた」と書いています。私は宮崎さんらしい導入だと思いました。ここからもう引き込まれるわけです。父親は、京都・伏見のヤクザ、寺村組の組長です。「切った張った」の世界を子どもの頃から見て育ち、自らもバイオレンスあふれる少年期を送っています。

1965年に早稲田大学第二法学部に進学。折しも60年代後半に向けて学園闘争の火が燃え盛り始めた時代で、宮崎さんは日本共産党系のゲバルト部隊として、対立する党派との闘いで暴れて名を馳(は)せました。

その後、大学を中退して『週刊現代』の記者からメディアの世界に入り、経済事件など日本の裏社会を見続け、書きまくりました。同時に、実家の解体業にも関わってきたということです。そして『突破者』でデビューし、強烈な内容で世間の話題をさらい、その後多数の著作を出版されています。

その間、「グリコ・森永事件」の〝キツネ目の男〟として疑惑を持たれたこともあって、非常に存在感のある人物でした。似顔絵と写真を比べると、メガネの形、髪形、顔の形と、宮崎さんと疑われても仕方がないという感じです。白井さんは当時を、どのように覚えていらっしゃいますか。

白井　私の子ども時代に「グリコ・森永事件」があって、子どもだったのでよくわかりませんでしたが、『月刊日本』の最新号（2022年5月号）に「突破者　宮崎学さんを偲ぶ」ということで、大谷昭宏さん、宮台真司さん、青木理(あおきおさむ)さんが文を寄せ、その中で宮台さんがキツネ目の男の件に言及しています。

高瀬　「グリコ・森永事件」で宮崎さんは世間に広く知られるようになったので、宮崎さんにとってはこれをうまく利用したというのがあったのではないでしょうか。

白井　ご本人も「あれで有名にしてもらったからなあ」とおっしゃっていました。

『突破者』は今の社会で起こっていることへの鋭い考察の書

高瀬　この後に『突破者』でデビューしましたが、そのときには宮崎さんは名も顔も売れていたということですね。

白井　「あの〝キツネ目の男〟が本を書いた」ということになったわけです。

高瀬　「あれは俺じゃない」と突っぱねるだけでなく、どこかでそれを面白がっていた。まあ、『突破者』というのは、すごい作品でした。白井さんもお読みになったと思いますが、なにせ暴力が全面に満ちている。ヤクザの家に生まれたというのもありますが、大学に入って、ゲバルトの時代でもあり、そこで大暴れする。

白井　そうなんですが、なぜ今日、宮崎学さんを取り上げたかったかと言うと、『突破者』は面白い人生を歩んだ人の自伝として読むだけでも十分面白いのですが、それだけではありません。随所で今の社会でいったい何が起きているのか、どんな変質が起きているのか、何が失われ始めているのかということに関する非常に鋭い考察がなされている。

それから、そういった考察を論理的に膨らませて、例えば『近代ヤクザ肯定論』や『法と掟と』といった著作が後に書かれていくことになります。そこで提起されている問題、宮崎さんが与えている示唆は、非常に重要なものだと思います。

というのは、私たちは何とかして日本の政治状況を良くしようとして、この番組「デモクラシータイムス」を作ったり、いろいろな活動をしたりしていますが、みんなわかっていることが一つあると思います。それは何かと言うと、「もう小手先のことではどうしようもない」ということです。

例えば何かの拍子に、野党がもう一回政権を取るかもしれない。あるいは自民党内の権力闘争があって、これまでとは違った毛色の首相が誕生するかもしれない。しかし、そんなことでこの国、この社会が立て直せるかと言ったら、私は絶対に無理だと思います。

やはり今の政治の劣化は社会の劣化を反映しているというか、その延長線上に出てきていることであり、政治を良くするには根本的には社会の側を立て直さないとどうしようもないことは完全に明らかだと思います。その点からすると、宮崎さんの遺した仕事は非常に重要な観点を提供していると思います。

「中間団体」が衰退化し、人間のつながりが希薄に

高瀬　例えば、どのようなことになりますか?

白井　著作に即して考えていくと、『突破者』を読んで読者が最初に衝撃を受ける点は何かと言うと、「ヤクザって普通の経済活動をしているの?」ということです。宮崎さんのご実家の寺村組は解体業で、会社の組織であると同時にヤクザの組でもあった。アウトローの世界に関する知識のない人が読んだら、まずここで「何だこれは」と衝撃を受けます。

しかし、「よく考えたら確かにそうだな。ヤクザの人たちはどうやって食べているんだろう」となる。もちろん、非合法なビジネスがあることは知っていますが、それだけで食べていけるかと言ったら食べていけないわけです。

つまり、ヤクザ組織は同時に何らかの生業、特定の仕事をする組織でもあった。それは当時においては当たり前、普通のことであって、社会の中に暴力団組織が内在していたということがいきなり突き付けられるわけです。

今、反社（反社会的勢力）という言葉がありますが、暴対法（暴力団対策法）による扱いはヤクザを社会の外に置いているわけです。社会の中にあってはならない存在なので、

銀行口座すら作らせない。あらゆる取引をしてはいけないということになっているので、厳密に考えれば、ラーメンの出前一つ頼めないはずだという話になる。

しかしほんの数十年前には、ヤクザ組織はもっと社会の中に内在していた。ここに衝撃を受けるわけです。いったいその変化は何なのか、何が変わったのかというところがまず突き付けられると思います。

高瀬　白井さんは、どうやって変わっていったと見ていらっしゃいますか?

白井　図式的に説明すると、いろいろと取りこぼすところがあるとは思いますが、宮崎さん自身の説明では「中間団体」という社会学では非常に重要な概念ですが、これの衰退というところに見ています。

中間団体とは何かというと、人間が生きていくうえで基本的に組織化の形態が三つある。一つは家族であり、それから国家であり、その間にあるのが中間団体である。だから中間団体はものすごく広い概念で、例えば草野球のチームもそうですし、学校の同窓会、宗教団体もそうです。要するに、家族でも国家でもないものはすべて中間団体のカテゴリーに押し込まれる。労働組合も、典型的な中間組織です。

これは宮崎さんだけが言っていることではないですが、後期近代、ここ数十年の傾向、日本でいうと高度経済成長が完成して以降になるかと思いますが、中間団体が著しく衰退してきている。そうなると具体的な人間のつながりが希薄になる。

そして一方で、一つだけ肥え太っているというか強大化している中間団体があって、それが営利企業です。その力は強くなるばかりです。中間団体が衰退していくと何が起こっていくかと言うと、共同性に基づいた規範が解体していくことになります。「何かしらのルールをなぜ守るのかというと、それを守らないと国の法によって罰せられるからだ。警察に捕まって、懲役をくらうのが嫌だから守るのだ」という態度は、決して内発的ではないわけです。「本当は破ってやりたい。捕まらないのであればやってしまいたい」と思っていても、そうすると嫌な目に遭うから、極めて形式的、外形的にルールを守っているということになる。

規範というのは本来、それだけではないはずです。もっと内発的に「こういうルールを破ったら、それは人間として恥ずべきことだ」あるいは「人間としてそんなことをしたらクズだ」、だから破ってはならない、こうしなければならないと人間に思わせる規範がある。このことを『法と掟と』という本の中で、非常に鮮やかに書いています。

つまり、法というのは外的なもので、それに対して掟は内発的に守る規範です。これが崩れてきた。掟を課していたのは何だったのかというと、具体的な人間のつながりを持つ共同体的なものだった。人類の歴史の中で長いこと規範の要(かなめ)になってきた、規範を与えてきたのは、家族でも国家でもなく、その間にある中間団体だったということだと思います。

ですから、例えばコンプライアンスという言葉がありますが、あれこそまさに外形的な法の遵守です。そう決まっているから、そうしなければいけないというだけの話であって、そこにそれを守らなければならないという内発的な動機はありません。そしてときに、掟と法は矛盾することもあります。掟を守ることが法を破ることになってしまう。それでも守るのは、掟は人間にとって内発的なものだからです。

「社会に内在する暴力」と「筋を通すという正義」

高瀬　逆に言うと、法には触れないから何をやってもいいということを企業側がやれるようになっているわけです。コンプライアンスは遵守していると。
　私はあるコンサルタントから聞いたのですが、子どもたちを飯の種にして、中高生にものすごくお金を使わせるようなことをしている企業がある。ここは「法令には一切違反していないから、何をやってもいい」という考えらしいのです。それはまさに今おっしゃった「法に触れさえしなければ何をしてもいい」ぐらいにしか考えていないわけです。人間としてやってはいけない、子どもからそんなにお金を取り上げてはいけない、贅沢なことは適当にしておかなくてはダメだという一種の仲間内の規範、あるいは中間団体の規範が崩れ去ってしまっている。きっと企業人自身がわからなくなっているんでしょうね。

白井　そういうことだと思います。

高瀬　『法と掟と』という本では、「法」は国の規範である、「掟」は仲間内の規範であると分けていて、「なるほどそうか」と。ヤクザ、掟となると「ちょっと待ってくれ」と思いがちですが、そこのところを宮崎さんは鮮やかに解き明かしましたね。

白井　そして、そのヤクザという存在ですが、ヤクザ組織も人間組織ですから中間団体です。中間団体の中でも、例外的な存在です。それはなぜかと言うと、暴力をふるうこと、それをある意味、生業にしている。これは、言ってみれば、近代国家の原則に反している。というのは、トマス・ホッブスの議論がもっと先駆的な、画期的な形で提示したわけですが、近代国家というのは暴力を独占するものであるわけです。言ってみれば、社会契約を結んだ近代人というのは、正当な暴力行使ができない。それは、ホッブスの社会契約論によれば、暴力を行使する自然権を放棄したからです。

日本は明治維新という形でそこから近代になったのでわかりやすいですが、前近代社会と近代社会を比べてみると、暴力の独占集中度が近代化革命以降、圧倒的に高まっているわけです。要するに、前近代、江戸時代の封建社会においては、武士階級という形で自律的に、自分の判断で暴力を行使することができる社会階級がいたわけです。階級的にそうであるし、空間的に見ても暴力行使の主体が全国に藩があって、それぞれの武装集団を持っていたわけですから、空間的にも暴力が拡散していたわけです。だから、明治政府ができたときに何をやったかというと、廃藩置県を行ない藩から武力を奪うわけです。それから、士農工商の身分制を解体して、サムライの階級をなくしていく。それから廃刀令を出して、刀を持ってはいけないと。

これらはすべて、新政府の軍隊と警察に暴力を一元化する動きだったわけです。

高瀬　「国家は暴力装置である」という言葉があります。まさにその通りで、国家は軍隊と警察という、暴力装置を二つ握っているということです。

白井　そういう中で、例外的に残り続けたのが、暴力が独占されているにもかかわらず、自律的に暴力を行使することが公認されているわけではないが、事実上暴力を手放していない、いわゆるヤクザの世界だったわけです。

これは社会に内在した暴力だったというのが、宮崎さんの見方です。どうしたって、世の中にはいろいろなこと、揉め事がある。そのときに、それを解決させるのは、暴力そのものだったり、それよりもはるかに多いのは暴力を背景にした脅しのようなものによって、物事が決着していくということがある。

もし社会に内在する暴力をすべて取り払っていったらどうなるのか。暴力の主体として残るのは、あとは国家だけです。（宮崎さんは）それは本当に恐ろしいことなんだ、ということを言っている。要するに、国家の暴力というのは社会に内在した暴力ではないわけです。

高瀬　仲間内、中間団体くらいのところで内在したものがあっても、それは仲間内の利益の問題、自分たちの正義の問題であり、それと対峙、対立する集団に対しては戦うしかないということで暴力の行使が出てくる。

そこでいかに筋を通すかというところがある。宮崎さんがゲバルトで大活躍をしたと言われる学園紛争のあった60年代後半というのは、アジ演説をしたり難しい理屈を言ったりする一方で、高倉健さんや菅原文太さんのヤクザ映画がものすごく大学生や若者世代に受けたわけです。

その辺の共通性というか、自分たちは左翼運動をやっているが、右翼や暴力団の人たちの中にある筋を通すという「正義」は、どこかで通底していると思っていたということでしょうか。私自身は学生運動をやったことがないので理屈でしか言えませんが、どうもそのような感じがするんです。

白井　宮崎さんの場合は、完全にそのような思考回路だったようです。暴力団、ヤクザの中で育って叩き込まれたのは、筋を通せということです。それから、ここは重要なところだと思いますが、ともすれば「そんなことを言っても、宮崎さんもヤクザだからいろいろ悪いことをしてきたんでしょ」という見方をする人もいると思います。

確かに、『突破者』にもいろいろ悪いことをしてきたと書いています。特に解体業を継いで経営するわけですがうまくいかず、資金繰りに苦しんでいかに無茶なことをしたか告白されています。そういう一面もあったわけですが、『月刊日本』の特集にもあるように、親友だった大谷さんが「宮崎学が世界で一番嫌いなものは弱い者いじめでした」と書いている。

「あるとき、障害者をだまして金を巻き上げているチンピラがいた。宮崎はそいつを呼びつけて、『障害者に謝るか、お前が障害者になるか、どっちかだ』と言いました。私は隣で聞いていましたが、口先の啖呵ではなく、心底からの怒りでした」

こういうエピソードが多数あることからもわかるように、ヤクザ社会の中で育って、弱い者いじめや、ご自身が被差別部落の出身であったということから、差別は許さない、不公正、不正義に対する、ほとんど動物的な怒りを宮崎さんは抱えていたわけです。

強烈な正義感の原点は「差別」というキーワード

高瀬 理屈ではないんですね。差別というのが一つのキーワードになっていると思いますが、『突破者』の中に非常に印象的な話が出てきます。上田という中学生の行儀見習いの住み込みの若衆がいて、山口組との抗争で年配の組員も舌を巻くほど戦った。この上田は子どもの頃から解放運動に身を投じていて、部落解放同盟の少年闘士として名を馳せ、狭山裁判の集会でも演説をしたことがあった。ところが、この人がヤクザの世界に入るわけです。「学さん、わしヤクザになって初めて自分が解放されたと思うたんですわ」と。それに対して宮崎さんがいろいろと聞くと、こう答えます。「なぜかと言うと、運動の中にいるときは差別はない。そやけど、学校や世間に戻ったら差別される。わしがなんぼハチマキして喚いたって一個も変わらへん」。宮崎さんが世の中はそう箇単に変わらないと言うと、「いや学さん、世の中は変わらんかもしれんけど、世間は変わる。わしがヤクザになったとたん、誰も差別しよらへん。表立って誰もしよらん」と。これは、私は非常に印象に残りました。

いわゆる中間団体としてのヤクザというものが、差別されてきた人にとっては差別の無い社会だということ。別にヤクザがいいということではなく、そういうふうに包摂していく社会だったんだということが書いてあって、今の話とつながってくるのではないかと思います。

白井　そうですね。このことは普通に考えると正義感というやつです。強烈な正義感というのは、ヤクザであり、被差別者であるというところに原点があったのでしょう。そして、強烈な正義感を発するということが、男らしい生き方だと。それが、革命運動への参加に直接つながっていったわけです。「革命こそ、一番の男の道だ」というようなノリで挺身(ていしん)していく。

高瀬　小学生の頃に出合った家庭教師の影響が大きかった。京都大学入学と同時に日本共産党に入った人で、この人にマルクス主義の手ほどきを受ける。共産主義に目覚め、早稲田に入って日本共産党系のゲバルト部隊に入る。一方で、正義を貫き、筋を通すためには暴力も振るう行動性が一体化するような形で、そちらに向かわせたということでしょうか。

白井　そうですね。60年代の運動というのは、私には身体感覚的によくわからないところがありますが、当時にあっても、宮崎さんの気質というのはすごく異質だったのではないかと思います。
というのは、とりわけ全共闘の時代になっていくと、すごく観念的に暴走していくところがありました。その最悪な部分が、連合赤軍事件として出たのだろうと思います。とりわけ、当時の学生運動家がどういう語彙(ごい)を使って議論をしていたのかということは、今日の文献を見てもわかるわけですが、言ってみれば非常に観念的に暴走した言葉を使っている。

高瀬 私が学生だった70年代になっても、彼らは街頭、駅頭で毎日のようにアジ演説をやっていましたが、何を言っているかよくわからず、「帝国主義打倒!」というような言葉が空回りしていました。

「右も左もない」という宮崎氏のスタイル

白井 『突破者』を読んでいて面白いのは、核マル派の学生が「何々をやろう」と言うと、二言目には「やる主体のプロレタリア的人間としての内的論理は……」などと言う(笑)。「じゃかわしい。やらなきゃならないからやるんだ」というのが宮崎さんのスタイルというか、観念的暴走がまったくないんですね。

高瀬　私が『突破者』を読んで強く印象に残ったのは、具体的な一つの課題やトラブルに対してどう対応していくか、どう差別を克服していくかというようなところでの闘いです。常に生活の足元を揺さぶってくる問題に対して宮崎さんは怒りを持ち、正義を通し筋を通そうとする。結果的に暴力になって、血の雨が降り、そこだけを見ると市民は近寄れないということになりますが、非常に具体性に富んでいます。

今おっしゃった60年代から70年代にかけての学園紛争は、そこから遊離してしまっていて、観念とか抽象で闘っていたというのが今になってよくわかります。

白井　戦前と戦後で社会が変わったということもあるでしょうが、『突破者』を読んでいて傑作なのが、宮崎さんが高校生くらいのときに共産党に入りたいと思って、当時の京都の共産党の大物のところに行ったときのエピソードです。その人は古参の党員で、戦前の非合法の時代からやっていて、もともとは焼物の職人だった。この人はもちろんいろいろと理論的な勉強をしているはずだが、演説をすると小難しいことは何も言わない。「若いモンは、マルクス＝レーニン主義でドンと行かなあかんで」と（笑）。

高瀬　それはもう、ほとんど右も左もないという感じですね。理屈で細かく攻めていっているのではなくて、勢いでやれ、根性でやれというような、ほとんど右と同じような感じですね。

白井　その言葉を読んで衝撃的なものを感じましたが、同時に「何という清々しさだろう」と思いました。

高瀬　ベースにあるのはもっと人間味があったというか、人情みたいなものがあって、「弱い者は助けなければいけない」「これは公平性に欠けているから、絶対に認めてはいけない」「この人はかわいそうな状況にあるから見逃せない」とか、極めてまっとうだと思いますが、そのうえにこれを解決するために右に行くのか左に行くのか、あるいは途中でずれてヤクザの世界に行っているのか、基本のところは同じだったような気がします。

白井　共産党を辞めてからの宮崎さんは、右なのか左なのか分類不能な地位を占め続けました。

高瀬　早稲田で日本共産党系のゲバルトですから、思想の分類をすれば明らかに左ですが、どう読んでいても左翼の感じがしない。このへんが面白いですし、人間が真ん中にあるという感じでしょうか。

白井　『突破者』を読んでいると、私が今京都に住んでいるのもあって、改めて面白いと感じるところがありました。共産党の人たちは世の中の人からどちらかというと理屈が多いと見られていると思いますが、京都の共産党は私が観察する限り、地域密着というか土着的な感じがあります。そこが強いところでもあるのでしょう。京都の共産党と言えば山本宣治（やまもとせんじ）が有名ですが、宮崎さんの父親も山宣と付き合いがあったという話が『突破者』に出てくる。

高瀬　左翼とヤクザが友だちなわけですよね。相共通する何かがあると。

白井　そういう世界があったということです。だからそう考えたときに、今日の社会の危機をさらに強く感じざるを得ません。その京都で維新（日本維新の会）が躍進していますから。参院選は、自民党と立憲民主党の福山哲郎さんが指定席で二議席を占めるという形で推移してきて、共産党の人は何とか二番目に入れないかという構図だったのですが、維新がかなり伸びそうな情勢になっている。

やはり京都という土地は非常に歴史が長いだけに、中間団体が壊れにくいというか、日本の中では相対的に強く維持されてきた土地だと思います。しかしそれが限界になって、バラバラになった個人だけになっていく。その不満やうっぷんを吸い上げるのは、ああいうデマゴーグだと。

高瀬　これは、日本の経済構造や社会構造が大企業と個人しかないような、より資本主義化したものになったことによるものなのでしょうか。労働組合はいまの連合を見ていればわかるように労働者の声ではなくて、企業側のほうにいっている。こういう変化が、いよいよ京都の中でも出てきたと。

白井　そういうふうに見てもいいと思います。

高瀬　今度の参議院議員選挙で京都がどうなるか（2022年7月の参議院選挙では、維新が推す楠井祐子氏〈25万7852票〉が立憲民主の福山哲郎氏〈27万5140票〉と肉薄し、最終的に自民・吉井章氏、立民・福山氏が当選）、一つの注目点ですね。京都がそういう状況になれば、ほかの所、東京なども危ないかもしれないという感じですが、押しとどめるのがなかなか難しい状況です。

つまり中間的な組織、集団が本当に駆逐されたり、残っていても少ししかないような状況の中で、もう一回盛り返していくのは相当大変なことだと思います。


白井 そこは簡単に答えが見えないところで、結局これはある意味、資本主義の文明の中に必然的に組み込まれているメカニズムだというところがあると思います。

資本主義の発展が高度化するにつれて、商品経済の浸透度がどんどん高くなっていく。商品がある意味いいものであるのは、商品の交換には後腐れがないということです。誰かが持っている物をお金を出して買う。それで売り手と買い手の間には、何の関係も残らない。

共同体的な相互扶助で成り立っていたいろいろなものが、どんどん商品関係に置き換えられていくとなると、縁(えにし)を持たずに生活できることになる。ある意味それは楽と言えば楽です。人間関係の面倒くさいことを考えなくて済む。だから、資本主義の発展には個人主義化が進む強烈なドライブが含まれているわけです。

宮崎氏の考えるヤクザの社会的な機能とは?

高瀬 資本主義が高度化していったことが一つ大きなことなのでしょうね。そもそも近世からずっとヤクザ組織があったと言われています。近代、特に明治以降、新たなヤクザ集団が出てきたということで、宮崎さんは『近代ヤクザ肯定論』で、山口組を中心に描いています。

山口組の誕生についても書かれています。山口さんはもともとヤクザの大物ではなかったが、いわゆる港湾労働者として淡路島から出てきて、そこから裸一貫で立ち上がっていくということが書かれていました。近代資本主義が勃興していく時代の話です。小説家の火野葦平（ひのあしへい）さんの父親である玉井金五郎が、北九州の若松港に石炭仲士玉井組を作ったときの話もこの本に書かれています。

そこでは「仲間や配下の仲士が自分たちの生活のために金五郎を頼りに自然に寄り集まってきて玉井組が結成されていくという流れであった」と。ここのところは大事です。おそらく山口組も同じような流れを辿ったのではないか。

だから、最初から暴力集団としてスタートしたのではなく、生活のため、つまり生業とつながっていったということが書かれていて、示唆的な感じがしました。

白井　『近代ヤクザ肯定論』はまさに山口組の歴史を追ったものですが、有名な三代目の田岡組長のときに山口組は非常に大きくなりました。田岡組長が生前口にしていたことは「生業を持て」ということでした。暴れ者やはぐれ者、ある種つまはじきになっていた青少年を自分のところへ連れてきて、暴れるけれども何とかある程度の枷（かせ）をはめて、生活をやっていけるようにするのがヤクザの社会的な機能だという考えを持っていた。

ただし、今の山口組を見ていると、「どうなんだろう」と思うわけです。ものすごく上納金がきついというような話があり、それがきっかけとなって三分裂という混沌とした状態にある。

確か、『近代ヤクザ肯定論』の結論、展望として宮崎さんが書いていたのは、ヤクザ、暴力団も現在のあり方は非常にまずいところもたくさんあるということで、かつてのようにもっと社会に内在した形に戻っていくことが必要だという結論を出していたと思います。私は、それは現実にはちょっと難しいだろうと思います。

高瀬 おそらく、日本の資本主義がどうやって発展してきたか、昔はこんなに高度ではなく、どうしても労働集約型の産業がメインになり、人手がいる。その人手をどうやって集めて仕切っていくかというところで、北九州では玉井金五郎さん、神戸では山口組の田岡さんがそうなっていく。

ここまで高度になり、「IT時代だ、AIだ……」となったとき、そうなれるのか、戻れるのかと考えると、難しいのでしょうね。

アウトロー的な存在を社会に内在化させ組織化するということ

白井 いずれにせよ、アウトロー的な存在というのはやはりいつの時代にもいます。それを社会に内在化させるような形で組織化できないかということなのですが、今の暴力団、ヤクザがそれをできるかといったら、暴対法の中で四苦八苦し、がんじがらめになっているので、何もできないだろうと思います。

私は二つの映像作品を思い出します。一つが『憲法とヤクザ』という映画で、ドキュメンタリーとして優れているのですが、観ていると元気がなくなります。今のヤクザの実生活のリアルな実態が密着取材されているのですが、とにかく何もできないという感じです。商売も拡張できない状況で、組長さんが苦渋に満ちた表情で「子どもが保育園に通園するのを断られた。ワシらの人権はどうなっているんだ」と言って、すごくまじめに選挙に投票に行ったりするわけです。

若い者はどうなのかというと、大阪の小さな組なので若者が一人だけいるのですが、見た感じも話している感じも、すごく優しそうでヤクザには見えない。そういう感じで、勢いがないんです。今のヤクザがどれだけ追い詰められて勢いを削がれているのかというのが『憲法とヤクザ』が映し出した現実だと思います。

もう一本、私の印象に残っているのがNHKの「クローズアップ現代」で半グレを扱った番組があったのですが、これも大阪が舞台で、大阪の有名な半グレのリーダーのような二名が出てきて、特にそのうちの一人が長時間にわたって顔をもろに出してインタビューを受けていた。

番組全体の作りとしては、「今いろいろな犯罪、代表的には特殊詐欺のようなものですが、その背後に半グレ集団がいる。だから半グレ集団は実にいけませんね、困りますね」というのが基本的なメッセージなのですが、結果的にはこのメッセージを裏切る番組になってしまった。

というのは、その半グレの兄ちゃんのところに人がどんどん集まってきている。大阪でバーや夜の街系の店をいくつも経営しているようなのですが、慕って集まってきた子分のような人間がほかの店を持ったりしている。ある種ファッションアイコンにもなっていて、男前でおしゃれなのでアパレル会社とモデル契約もしていて、SNSで情報発信したりしている。「憧れています」という女の子が遠方からわざわざ訪れたりもしているわけです。

そういう模様が映されてしまって、「半グレの魅力を伝える番組になっていませんか?」という感じになってしまった。実際、その番組の後に大阪府警が「ふざけるな。天下のNHKが半グレに堂々と持論を述べさせたりするのはとんでもない話だ」と激怒したようです。その後、その出演者は恐喝罪で捕まり服役させられました。

とにかくびっくりしたのは、周りに人がどんどん集まっているということでした。

高瀬 今の二つの映像作品の話を聞いていると、片や旧来の暴力団、ヤクザの人たちは元気がなくなっている。これはいわゆる暴対法によって徹底的に暴力団を社会からなくしていこうという動きが影響している。ところがそれで丸く収まるかというとそうではなくて、今度は別の何かが、必ず矛盾が生じてくる。そこに新たに半グレという集団が出てきた。警察がそこで怒るというのは、旧来の暴力団を潰しておきながら、こういうことが起こるのを想像できていないことになります。

白井　いろいろな本の中で宮崎さんが書いていた通りです。潰しても潰しても、似たようなものが出てくるということを繰り返しおっしゃっていた。本当にその通りになって、半グレのリーダーも腕っぷしは強いし、当然ヤクザのほうも「こいつはいい」とスカウトしたらしいですが、断られた。なぜならヤクザになっても今何のメリットもない、要するにがんじがらめにされるだけだからです。

そこで半グレ集団にどんな子たちが集まってきているかというと、いろいろなケースがあるのでしょうが、「世の中つまらない」と感じている人たちですよね。こんなクソつまんない世の中で、生きているのか死んでいるのかわからないような感じで、窒息していても仕方がない。だったら一旗揚げてやれと。リーダーが言うには、「来るものは拒まずという感じですね」。

高瀬　昔はそうやってヤクザのところに入っていった。親分がいて、家父長制的に一つの秩序を持って育てていく。そういうような一つの集団としての掟があり、規範があったんだと思います。

今半グレの人たちの中に、そういう家父長的な強いものとか、包摂していくような家族的なものがあるのかどうか、よくわからないですよね。

白井　ただ「来るものは拒まず」と言ったのは、すごいと思いました。「来たい奴は来たらええ」と。それは、仕事が何かあるということなのでしょう。「俺のところに来たら何か仕事があるよ」なんて優しい言葉をかけてくれる人は、今の世の中いないわけです。もっとも、「何か仕事があるのか」と行ってみたら、非常にヤバい仕事だったりするのでしょうが。

高瀬 つまり集団のあり方として、かつてヤクザがもっと強かった頃と共通している何かがあるのかもしれませんね。それが教えているのはどういうことかと考えると、確かに悪いことをされたら困りますが、人間は不完全であるというところに宮崎さんの人間観、世界観があります。そういう中で、どうしたって底辺の人たちが生まれたり、苦しい人たちが出てくる。その人たちとヤクザは関わっていた。そして資本主義とも関わって資本主義を回す役割もやっていたという認識です。

良い悪いという価値観ではないところで考えています。しかし、今では人間をそのようにとらえる力が市民社会になくなってきているのではないかと……。

白井 そうです。一方で、桜を見る会に半グレの人たちが呼ばれていたのが問題になりました。

高瀬 隣り合って写真に写っていました。

白井 「ある意味、政治家ってすごいな」と思いました。「ある意味すごい」とは何かというと、今どこにエネルギーがあるかということを知っている。

高瀬 宮崎さんの本を読んでも、結局、政治家とそういう集団のつながり、経済が裏の社会として不可分の関係にあるとお書きになっているから、そこのところは変わらないんですね。

白井　変わらないですね。これから社会の趨勢（すうせい）としてそうなっていくのだろうと思います。人々の過剰な力がときには非合法的なものだったり、暴力として現れる。それがかつてはヤクザという組織の枠で機能していた。しかし、それを徹底的に壊滅させた。あってはならないことにした。そうしたら半グレのような形で出てくるという話になり、これも潰さなければいかんということでやっているわけです。

高瀬　『近代ヤクザ肯定論』の中で宮崎さんがお書きになっているのが、「暴対法の思想は暴力団というものが違法行為を行なうか否かに関わりなく、その存在そのものが市民の敵、社会の敵であり、市民自身の手によって暴力団が生きていけないような社会を作り出すことが必要だというところにある」と。つまり、市民の敵であると。だから抹殺してもいいという追い詰め方をしていくものだが、そういうふうに社会は回らないとも言っています。

白井　そのとき使われている「市民」という言葉、宮崎さんは本当にかなりの悪意を込めて使っていたと思いますが、その「市民」というのは人間における過剰な部分を全部切り落としたロボット、人間の面白い部分を全部切り落とした量産型のロボットのようなものです。

高瀬　人間には情があり、想念や観念などいろいろなものがあります。それが理屈ではなくどこかで吹き出していく。あるときは暴力になったり、犯罪を生み出したりする。確かにそういうものはできるだけなくしたいという市民側の論理や倫理もありますが、そう簡単にいかないというところも見つつ、社会をどう健全に回すかという視点ですよね。

白井 今恐ろしいのは、権力の作用としては何をやろうとしているかというと、過剰な部分を人間からすべて削ぎ落としてしまえばいいじゃないか、それで平和になるじゃないかという発想です。そのように、ときに危険なものも全部なくしていった社会のことを宮崎さんは「デオドラント化された社会」と呼んでいます。

高瀬 今のつまらなさというのは、そこからくるんでしょうかね。

白井 私は、間違いなく文明の破滅になると思いますね。

「侠(おとこだて)という精神」の重要性

高瀬 暴力を肯定しているということではまったくないのですが、人間をどうとらえるかということですね。今、ロシアがウクライナを暴力的に侵攻しています。これ自体は問題だけれど、人間というのはいったい何なんだ、世界はいったいどうやってできているんだということをもう一歩深く突っ込んでいく目が必要だと思います。そこに必要なのは人文科学的な目だと思います。社会科学だけではとらえきれないというか……。

白井　やはり宮崎さんの仕事の面白さは、いろいろなところで文学的センスが光っていたというのがすごく大きいと思います。

高瀬　別にヤクザを礼賛するというわけではありません。ただ、我々の人間観、世界観をもっと深くしていかないと、政治を本当に変えることはできないのではないか。裏も汚い所も含めてどう変えていくかという理屈なり何かを出していかないと難しいのではないかということですね。

白井　社会そのものを立て直さなければ、根本的な意味で政治は立て直せないですし、どうやったら社会そのものの劣化みたいな状況を直せるのか、またそもそもその劣化がどういった劣化なのかを考えるために、宮崎さんの遺した仕事は本当に示唆するものが大きいと思います。

高瀬　先ほど玉井組の話をしましたが、玉井金五郎という人は、北九州の沖仲士を束ねていた、山口組の一つのモデルになったような人。この人のお孫さんがペシャワール会の中村哲さんで、顔がよく似ているんです。２０１９年にアフガニスタンで銃撃されて亡くなりましたが、本当に世界に感動を与えるお仕事をされました。無私の精神、自分の儲けを考えるのではなくアフガンのために尽くした方です。

玉井金五郎は北九州の若松で玉井組を組織していましたが、筑豊から運ばれてきた石炭を若松港から積み出していくわけです。船に石炭を積み込むときにたくさんの労働者たちが必要になってくる。この人たちを仕切っていたわけです。
　玉井金五郎の息子である作家の火野葦平さんの家が若松には残っていて、その家の中に積み出していくときの模型が置いてあります。艀（はしけ）に石炭を載せて、沖合に停まっている大きな船に石炭をもう一回積み直す作業をする。沖合にある船に載せる人たちを沖仲士、港側にいる労働者を仲士と言う。
　なぜ私がこの話をしたかというと、中村哲さんの中に、なんとなく任侠（にんきょう）を感じたんです。宮崎さんが書いているのは、任侠とはお金にならないことを平然とやることだと。その一節を読んだとき、つい中村哲さんを思い出しました。中村哲さんはすばらしい仕事をされた方ですが、そういう良い意味での血が流れているのかと勝手に推測しています。
白井　私もそう思います。やはり、侠という精神だったと思います。
高瀬　そういうものが今の社会の中になくなっていて、政治家が何をやっているかと言ったら、自分の縁故の者だけに利益を配ったり、自分もそこから利権を得たりしています。お金にならない、もっと大事なことに取り組み、命を張っていくという政治が見られないのは、そういうところともつながっているのでしょうか。
白井　そこはなかなか難しいところがあります。例えば金権政治のようなものは、市民的常識として「けしからん」と言われて批判されてきました。中選挙区制をやめて小選挙区制にしようとしたときの大きな理由の一つも、金権腐敗をやめようということがありました。でも、「それで良くなったのかな?」と思いますね。明らかに自民党の議員は劣化しましたし、松下政経塾上がりの人が大量に出てくる。挙げ句の果てに、維新です……。

汚いハト派という言葉がありましたが、清廉潔白さだけを求めてそれをダメにしてしまったのではないかという話があります。

高瀬　「水清くして魚棲まず」という言葉があります。確かに昔の政治がいいとは言えないところがたくさんあり、政治改革をしてきました。しかしそれでよくなったかというと、また違う問題が出てくる。

　ここをどう考えて、これからの日本をどうしていくのか。また、世界とどう向き合っていくか。ものすごく大変な問題だということを、今話しながら感じました。答えは簡単に出せませんが。

白井　最近ウクライナ情勢の中で注目したニュースがありました。ロシアが東部に攻め込んで占領した町の工場の工場長を解任し、ロシアの人を起用しようとしたが、労働者たちが労働拒否をして立ちゆかなくなったということです。どういうことかというと、その地域はウクライナのあるオリガルヒ（大富裕層）の一人が支配している地域で、たくさんお金を儲けているが、そのオリガルヒはいろいろな住民サービスを提供し、企業を運営しているから人々に働く場を与え、年金まで出している。ロシア軍が来ても、その親分のもとで働きたいのであって、わけのわからない奴を連れてこられても「嫌だ」

と言われ拒否されたという話です。

高瀬　中間的集団の力というか、まさにそういう感じがしますね。

白井　ロシアやウクライナでは、ソ連が崩壊した後、マフィアとビジネスマンが同義語なんです。マフィア、ビジネスマンの中でも特に巨万の富を得たような連中が、オリガルヒと呼ばれているわけです。

オリガルヒというのは、ソ連が崩壊した後のどさくさに紛れて、火事場泥棒のように利権をぶん取って成長したと言われていて、一般庶民からは「あんちくしょう」と見られている。私は、状況はロシアでもウクライナでも大差ないと認識していました。その認識はたぶん大体合っていると思いますが、そのエピソードを聞いて、「ほお、なるほど。これって、宮崎さんが復権すべきものとして夢に見たような、社会に内在するマフィアではないか」と思いました。

高瀬　この章では宮崎学さんが亡くなられた追悼の意味も込めて、著作をもとにいろいろと対話をしました。ヤクザのことも書いてあるので抵抗がある人もいると思います。ヤクザを肯定するわけではありません。あくまでも宮崎さんの主張ということで話を続けてきました。

宮崎学さんの著作はいろいろなことを教えてくれるという感じがします。かつて日本人や日本社会が持っていた、良きものを失っていると気づかされたというところもあります。宮崎さんはどんなことを考えていたか。デオドラント化という言葉に象徴されるのでしょうか？

白井　デオドラント化されて過剰なものがなくなり、みんな角が取れて……、という人間だけになった社会がどれだけ脆弱なものかと思います。そういう人たちというのは、表面的にはみんな礼儀正しくていい人に見えるわけです。

しかし、2011年の3・11の原発事故に関して、私は呆れると同時にものすごく重要だと思っている話が一つあります。それは、菅直人首相があのときどういう批判を受けたかというと、「イラ菅」と言われた。「すぐに怒鳴る。怖い。だからものが言えない」と。

心底呆れました。あの状況でそれは怒鳴りますよ。「みんなで集まって、対策をじっくり考えましょう」という状況ではないわけです。

首相が変なことを言っていると思うなら、怒鳴り返せばいい。ところが、「あのように怒鳴るのは、周りが萎縮してしまっていけないですね」と。これが、デオドラント化した社会の帰結、末路でしょう。生命力のない、ゾンビと化しているのです。

高瀬　いろいろなものが溜まり、いずれ何らかの別の形の暴力となって出てこないとも限りません。社会というのは、そういう暴力性を孕むものだと考えておかなければいけないということですね。

白井　例えばそれはSNS上での極めて攻撃的なふるまいやそのほかの別の形で現れるということかもしれません。

5

「長期腐敗体制」を解体せよ

2012年体制で沈んでいく日本

2012年体制とは何か？

高瀬　2022年7月10日に投開票が行なわれた参議院選挙の後、3年間は大きな国政選挙がありません。岸田政権が長期政権になった場合、憲法や安全保障、社会保障などの政策が大きく変わる可能性があり、その分かれ目となる重要な選挙とも言えました。
白井　2022年の参院選は何が問われた選挙なのか、私なりの考えを言うと、2021年の総選挙のときも同じことを言っていたのですが、2012年に成立した現体制、政権が自民党に戻って安倍政権となり、それから10年以上続いているわけですが、この体制が肯定されたのか否定されたのか、国政選挙とはそういうものだと考えています。
　本来であれば否定する主体がなければいけません。そのためには政権交代を現実的な可能性として展望できるような野党がいるのがあるべき姿ですが、ところが、それが事実上存在しないということで、何とも盛り上がらない。
高瀬　岸田さんは安定した支持率を保ってきたわけですが、物価高など参議院選挙の後も多くの問題を抱えつつの運営になるかと思います。
　そんな中、白井さんの『長期腐敗体制』（角川新書）という書籍が発売されました。そこでここでは、白井さんの書籍をもとに今の日本の政治を考え、参議院選挙後の一つの視点として私たちが参考にできるものはないかを考えていきます。

書籍の中で、白井さんは今の日本の政治を「２０１２年体制」と名づけ、これを経済、外交、安全保障、市民社会という視点から分析しています。

そもそも「２０１２年体制」とはどういうものですか？


白井　この言葉の生みの親は、上智大学の政治学者、中野晃一先生です。中野先生が、安倍さんが退陣して菅さんに代わるとき、この言葉を使ってコラム、論説を書いていた。私はそれを読んで「我が意を得たり」というか、似たようなことを考えていたので、いいネーミングだと思って使わせてもらっています。

どういうことかと言うと、安倍政権が長期化した中で、途中から「安倍一強体制」という言葉が使われるようになってきました。誰が言い出したのかわかりませんが、いつの間にか定着しました。

ここで「体制」という言葉が使われているのが重要なのです。体制と政権は違うはずで、「政権」は中曽根政権、安倍政権というように人名、固有名と切り離せません。「体制」は「幕藩体制」「共産主義体制」など、一般名詞と結びつく言葉です。一般名詞と結びつく「体制」となると、固有名はどうでもよくなってくるということです。つまり、権力の構造が相当固定化してくるので、その頂点にいるのが誰かに関わりなく、基本構造が変わらない。権力の構造がそこまで固定化されてきたことをみんなが無意識に感じるようになってきたので、「安倍一強体制」という言葉が使われるようになってきた。

かつ、それを「2012年」と結びつけたことがポイントで、明らかに「55年体制」という言葉を強く意識した言葉だと思います。55年体制は長らく戦後の日本政治の基本構造で、1993年に細川連立政権が成立するまで継続したと言われています。そして、小選挙区制の導入を中核とする政治改革が叫ばれ、何が目指されたかというと、ポスト55年体制を作らなければいけないと。その中身は、政権交代可能な二大政党制で、これがポスト55年体制だとされた。

その後、紆余曲折を経て2009年に鳩山民主党政権ができて、一応、ポスト55年体制が実現したとみなすことができる瞬間があったわけですが、その3年後に自民党に政権が戻り、その後どうなったかと言うと、もはや政権交代の現実的可能性が事実上ないという状態になってしまった。つまり、本来目指されていたはずのポスト55年体制は実現しなかったということです。

そうなると、今私たちが見ている2012年以降の体制が事実上のポスト55年体制だということになります。

高瀬　戦後の非常に大きな構造の軸が55年体制で、それに取って代わるものがなかなかできず、いろいろと模索はありました。第二次安倍政権ができてから選挙のたびに勝ち、どうやっても野党がかなわないという状況の中で、55年体制と2012年体制の間で少し迷いはあったものの新たに強固なものが出来上がったと理解すればいいのでしょうか。

白井　そのようにみなすべきだろうと思います。なぜなら、もう10年以上も経っていますから。

高瀬　そうすると、今は岸田さんですが、安倍、菅、岸田ときて、岸田さんもその上に乗っかってしまっていると。

白井　そうです。政治を分析する人はしばしば、なまじ詳しいだけにいろいろと細々した差異を強調したがる傾向があります。安倍政権と菅政権はここが違って、首相官邸の中の力学がこう変わったとか、自民党内の力学がこう変わった、あるいは菅から岸田に代わったときにも同じように変化を強調したがったわけですが、私は変化よりも変わらざる本質のほうを、まずきちんと押さえるべきだと思います。

高瀬　木ではなく森を見たときに、一つの森が出来上がっているということですね。この体制の特徴は何でしょうか？

白井　「不正、無能、腐敗」という政治の三つの悪徳を体現している。

高瀬　そう言われるとすごいですね。確かにいろいろなことがありました。先ほど、55年体制の話が出ました。55年体制にもいろいろ問題がありましたが、もう少し内実があった気がします。それに比べると、いい言葉がないですね。

白井　どう探しても、ポジティブな要素がありません。

高瀬　安倍政権がベースですから、安倍政権の約8年の間に何があったかというと、いいところが全然ない。安倍さんを支持してきた人たちはいろいろいいことがあったと言うでしょうが、結果的にどうなったか考えたときに、10年を経て日本の経済はどうなっているか、ほかの問題はどうなっているか、国際的な指標はどうなっているかと言ったら、まったく上向いていません。

白井 30年このかた調子が悪いのですが、とりわけこの10年、政治はもちろん、経済もそうですし、ある種の人心の荒廃という面でも、加速度的に悪くなっていることは確かだと思います。

国民の無気力・無関心・無知が2012年体制を支えている？

高瀬 この安倍政権以降の体制は、盤石という状況で動かない。これは国民が支えているわけです。どうしてこうなっていると思いますか。

白井 これは非常に難題で、端的に言うと国民が支持しているからと言わざるを得ない。自民党が相対的に最多得票を得ているから選挙で勝ち続けているわけですし、棄権者が多いので与党が勝っているという話がよくありますが、要するに棄権者たちというのは自民党政権、2012年体制を否定してはいないから、わざわざ投票所へ行って反対票を投じようとは思っていない。したがって、国民の支持のもとに成り立っていると言わざるを得ない。

高瀬　非常に危機感を覚える国民もいます。でも多くの人たちは危機感を覚えていないということになるのでしょうか？　この政権でいい、つまり積極的に支持するにせよ、消極的に支持するにせよ、危機感を持っていないと見たほうがいいでしょうか？

白井　何というか、私の理解を超えているところがあるのですが、危機感のようなものを持つためにはある種の知的な能力や感覚、何らかの生命力が必要なのでしょうが、その生命力が衰退してきているのでしょう。

高瀬　『長期腐敗体制』の中で、「一言でいえば無知だ」と書いていらっしゃいます。では、無知はどこから来るかと言ったらおそらく無関心でしょう。私なりに考えたら、その前のところに無気力があって、そういう流れで無知な状態になっているという気がします。

白井　直接の原因は無知ということになりますが、人間は自分が関心のあることについては自然と知識が貯まっていくものです。特に「知らなければいけない」といって努力するというよりも、勝手に入ってくるという感じで知識が増えていくものですが、今これだけ政治的無知が広がっているのはそもそも無関心だからです。なぜこんなに無関心でいられるのかといったとき、政治的無関心という言葉は以前から使われてきましたが、その概念では十分に説明できない状況になっていると思います。

戦後の投票率がどう推移してきたかというと、かなり長い間、国政選挙は70％を超えるのが普通でした。ところが平成の時代に落ちてきて、小泉郵政解散や民主党の政権交代のときに投票率は少し盛り返しますが、その後またグッと落ちて今や50%前後になっています。

投票率の低下に関して、かつて政治学者たちは「日本が豊かになったからだ」と説明していました。みんな豊かになってそこそこの生活ができていて、苦しいから政治に助けてもらいたいという人が減っているので投票率が下がってきた、政治的無関心になってきたと……。

この理論が正しければ、ここ最近は明らかに多くの人たちが苦しくなってきているので、投票率が上がらなければおかしい。ところが、全然そうなっていません。つまり、政治学者たちの説はまったく間違っていたということです。

〝社会〟が存在しないかのようにふるまう若者への違和感

高瀬　これだけ悪くなってきたら、「これはまずい」と思い、何らかの意思表示が投票率として出てきてもおかしくないはずですが、むしろ下がり続けています。いったい何が起きているのか。

白井　ある種、社会の存在を否認するメンタリティーが出てきています。「社会なんて存在しない」というマーガレット・サッチャーの名言がありますが、サッチャーが言わんとしたこととは違う形で日本人のメンタリティーそのものというところがあります。
例えば、一番わかりやすい例として、セカイ系のアニメが流行っていますが、あれは何かと言うと、自分と恋人や親友というミクロな世界と地球全体の運命、宇宙の運命とかいった最大限にマクロなものが直結するので、セカイ系と言われる。何がないのかというと、「世界全体」と「私」の間にあるものがごっそり抜けている。この「間」こそ社会です。これは言ってみれば、人間の社会からの疎外の端的な表現だと思いますが、社会が嫌で嫌でたまらない。社会は自分を苦しめるものでしかない。ひたすら苦しめるだけで変わらないし動かない。そんなものに対しては、あたかも存在しないかのようにふるまおうとする状況です。

高瀬　以前の著書で、映画『君の名は。』に触れていたと思います。大ヒットした作品で、私も観に行きましたが、どうもよくわからない。これは何だろうと思いました。
白井さんがお書きになっていたのは、何かを変えるときには当然、摩擦や抵抗があり、それと闘って勝ったり負けたりしながら、そこで内発的なものが出てきたり、何か充実感を得て世界が少し変わる。それが今までのドラマだったわけですが、現在はそうではない。自分の心の中で何かが変われば変わると。

白井　そうです。私もあの作品を観て違和感を覚えたのは、プロット上で一番肝になるはずの、子どもたちが大人たちを説得しなければならないというところが、どうやって説得するのかと思って観ていたら、いつの間にか説得されていて難問をクリアしたことになっている。「なるほど、セカイ系というのはこういうことなんだ」とよくわかりました。

高瀬　要するに、ままならないものというのが社会であるわけですよね。

高瀬　必ずそこで摩擦が出てくるし、自分も苦しい状況に追い込まれなければならない。そうでなければ、解決していけない。それを回避していくという感じですか？

白井　やはり、このメンタリティーは疎外だと思います。ですからある意味、同情すべきものでもありますが、他方で「これはまずい」ということをはっきり言わなければならないと思っています。かつてアリストテレスは、「人間は政治的動物である」と言った。「政治的」とは、今日の言葉で言えば「社会的」に近い。あるいはカール・マルクスは「人間とは社会的諸関係の総体である」と言った。

つまり、人間というのはどうしたって社会的存在である。でも、それは嫌だと、社会というものは存在しないとしてすべて捨ててしまったらどうなるか。人間が人間ではなくなるということです。食事をして息をしているかもしれないが、それはもう、本当の意味で人間として生きていないということです。日本人がそういう精神状態になりつつあるというのが、私が持っている強烈な危機感です。

高瀬　映画『君の名は。』を観て「よかった」と言っている若者は、「こういうものだよね。そんな大変なことをしたくないから」という中で、気持ちよさも持っているかもしれない。もしそうだとしたら、上の世代と相当な断絶があるという感じがします。

利上げは「やらない」のではなく「やれない」

高瀬　この本（『長期腐敗体制』）の中で、「2012年体制」とは何か、いくつかの要素で分析されています。一つ目は経済の指標から考えてみたいと思います。

今、日本は物価高に見舞われています。おそらく今年（2022年）後半、来年にかけてもまだ上がっていくのではないかと非常に心配になりますし、現に苦しんでいる方も多いと思います。物価高には複合的な要因があって、一つはコロナ禍の対策として、アメリカが大規模な財政出動をした。その結果、急激なインフレになって、このインフレを止めるためにアメリカが繰り返し利上げをやっている。となると、当然、利上げをしたほうに投資したほうがいいですから、ドルを買いドル高になる。反作用として円安になる。その結果、輸入コストが上がって物価高になる。

それから、ロシアのウクライナ侵攻があって、いろいろな経済制裁がなされたわけですが、ロシアもそれに対して抵抗する。結果的にエネルギーコストが上昇し、物価高につながってくる。

これが現状と見ていいと思いますが、そういう中で日本が一つ深刻なのは、2012年に第二次安倍政権で華々しくぶち上げたアベノミクス。その中に異次元の金融緩和が含まれています。この間も日銀の金融政策決定会合があって、ここまで円安になってくると円安を止めるために、円高に舵を切らなければならない。利上げという方法がありますが、それはやらないまま２０２２年12月まで金融緩和を続けていました。これはどう思いますか。

白井　利上げはやらないと言うより、やれなかったのでしょう。たぶん理由は二つあると思います。まず、普通利上げというのは景気が過熱しているときにやるものである。日本は30年この方、不景気がずっと続いているわけですから、死にかけている人に氷水をかけるようなもので、大変なことになる。だから利上げはできない。他方で、利上げをしてしまうと日銀が債務超過に陥るという問題が指摘されています。

もしそうなった場合、率直に言って、私にはよくわからないところがありますが、これについては二つ説がある。日銀のバランスシートがでたらめになったら、日銀券が全般として信用ならないということになり円価値が崩壊するという説が一つ。もう一つは、まったく問題がなく、中央銀行が債務超過に陥ったからといって、一般企業の債務超過と同じように考えてはいけないのであって、何も起こりませんという説もあります。どちらが正しいのか私にはよくわからない。これから証明されるのではないかというところでしょう。

ではなぜ、見解の相違が出てくるかというと、中央銀行という存在の厄介さというか、難しさに原因があると思います。

高瀬　アベノミクスの異次元の金融緩和というのは、国債を日銀が大量に買い取ったわけです。そのお金は市中銀行に流れる。市中銀行は「投資をしてください」と、そのお金をいろいろな企業に貸し出す。その結果景気が上向く。そして消費者物価、インフレ率が２％に上がれば、デフレから脱却できるという話だったわけです。

ところが長く続けてきても、結局、一部の富裕層だけが儲かった。異次元の金融緩和でお金をたくさん出していった結果、下手をするととんでもないハイパーインフレになるのではないかという懸念が一つ。もう一つは「そんなことはない。自国通貨でやっているのだから、全然問題はない」とする見方もある。これはリフレ派と呼ばれ、これに反対するのが反リフレ派。

でも、この本の中で白井さんがお書きになっているように、どちらも当たっていない。どちらも来なかったということですね。これはなぜなんでしょうか。

白井　ひょっとすると、これから反リフレ派が言っていたようにハイパーインフレ的な状況になるのかもしれない。それはよくわかりませんがやはり中央銀行って何なんだろうと改めて思います。よく、中央銀行の独立性ということが言われます。しかし、本当に独立しているということがあり得るのだろうか。

高瀬　そうですよね。政府あっての日銀ですよね。

白井　安倍さんがアベノミクスで異次元緩和の金融政策をやると言って政権を取り、もし日銀が従来の行き方にこだわって絶対にやらないと言っていたら、どうなっていたか。

「日本は、政府と中央銀行が真っ向から対立しているらしいぞ」となって、市場は混乱するでしょう。

だから、そう考えたときに、本当の意味での独立性はないのではないか。だとすると、そもそも論として、日銀は役所の一つなのではないかという話になってきます。いわゆるMMT理論などの統合政府論は、中央銀行は事実上役所だという説を採っています。現に、日銀の職員は慣用的に日銀官僚などと呼ばれたりするわけです。

でも他方で、中央銀行制度の起源をたどっていくと、民間銀行から発している。（イギリスの中央銀行である）イングランド銀行は王家が関与していて難しい関係がありますが、民間銀行から発しているがゆえに、政府に対して独立性があるという仕組みがある。だから、日本の中央銀行の法的位置付けも、役所ではないことになっている。極めて特殊な法人です。

ですから、現に日銀はジャスダック市場に上場されていて株を買うこともできるわけです。それだけを見ると、中央銀行は普通の市中銀行に毛が生えたようなものという見方もできそうに思われる。鵺（ぬえ）みたいな存在で、ある角度から見ると役所に見え、別の角度から見ると民間企業のように見えるという不思議な存在です。

高瀬　だからこそ、柔軟に政府と調整し足並みをそろえて、金利を上げたり下げたりし、アベノミクスによって異次元の緩和をすることもある。

白井　これから円価値に何が起きるのかという問題も、この二面性と関係していて、民間銀行に毛が生えたようなものだと考えると、バランスシートが崩壊したら日銀券は紙くずになると考えたくなる。実質的には役所だとなると、そうならないかもしれない。しかし、その場合も日本国家や日本人全体に対する信認が崩壊したらやはり崩壊するのか。理論的に見て、非常に難しい問題がここにはあります。

高瀬　今、日銀券が紙くずになったら困るわけですが、異次元の金融緩和を行なって、国債を買い取ってものすごいお金を市中銀行に流したわけです。その市中銀行が「皆さん借りてください」と言って貸し出せればよかった。しかし、企業も投資先が見つからないから借りない。結局、市中銀行に流れたお金を貸し出せないまま、今そのお金がどうなっているかといったら、日銀の当座預金に戻ってきている。今５４０兆円くらいになっている。

白井　市中銀行、金融機関は、一定の額を証拠金のような形で日銀に預けておかなければならないわけですが、その比率は政策的に決定されるわけです。もちろん銀行はお金を貸し出さないと儲けられないわけだから、理想的には法が定める最低限だけ預けておいて、あとは全部貸し出しをするのが理にかなっているわけですが、貸し出す先がないので日銀の当座預金に延々と積み上がっていく。

高瀬　異次元の金融緩和をやめないと言っているわけですから、国債を買い続けてお金は市中銀行に入る。市中銀行は貸出先がないから、日銀と市中銀行の間を還流しているだけという状況です。

白井 そうですね。この数字（日銀当座預金残高）は非常に両義的で、「これだから、アベノミクスはうまくいかなかったんだ。金融緩和をやったって、景気はよくならないじゃないか」というアベノミクスの失敗の象徴であり、他方で、「ここにお金がブタ積みになっているから、とんでもない物価の暴騰も起きていないんだ」ということでもあるのです。

高瀬 つまり、ハイパーインフレが起きていないのはこのブタ積みのせいだと。お金が市中に流れていないんですね。

白井 通貨の供給量からすればとんでもない増大をさせたわけですから、それが従来と同じ速度で回ったら、少なくとも4〜5倍、物価は上がっていないといけない。

高瀬 ところがそうならなかったのは、金庫の中、口座の中にあるからなんだと。お金がここにあるだけだから問題がないというふうには言えないということが出てきているわけですか。

白井 今の円安はそういう状況ということでしょうね。円価値を防衛するには、利上げをしなければならないのではないかと。ゼロ金利のもとでは超過準備として市中銀行が日銀に入れているものに対して金利を付ける必要はないわけですが、利上げをするとそれに金利を付けなければいけなくなる。５４０兆円に金利を付けると、日銀のバランスシートは崩壊するだろうと言われているわけです。

高瀬 預かっている状況ですから、いずれは市中銀行に返さなければいけない。信用をなくさないようにするためには、このお金をチャラにするしかないという……（笑）。

白井　返さなければいけないけれど、返さなくてもいいという特例法を作るとか、危機対応をせざるを得ない局面に入ってくるのかもしれません。

高瀬　もう一つ日銀がまずいと思うのは、株をずっと買っていて、日本の最大の株主が日銀です。投資信託の株式ETFが60兆円あります。ですから、異次元の金融緩和をやめ、経済が落ち込んでいくとなったら、株価が下がっていく。そうすると日銀がダメージを受け、結局また円安が進み、日銀および日本政府の信用がなくなる。にっちもさっちもいかない状態ではないかというのが何となくわかってきます。

白井　結局、この異次元の金融緩和がうまくいかなかった根本原因は何だろうと考えたときに、お金を借りやすい状況を作ったのに借り手がいない。貸せないのか、貸さないのか、よくわからないのですが。よく投資先がないからだと言われますが、本当にそうなのかと。例えば、今頃になって半導体の確保が大変だから、もっと国産できなければいけないと言って、台湾の企業に助けを求めるなどしています。

あるいは、最近気づいたのですが、日本の路線バスはきっとそのうちすべて中国製になるなと。どういうことかというと、自動車の電動化です。

私は、自動車の電動化が世間で言われているほど全部がすばらしいことだと思っていませんが、それでも路線バスは電動化するメリットがかなりあります。決まったところを走るから充電はしやすいし、ディーゼルエンジンで動くバスはどうしても乗り心地がいい乗り物ではなく、モーターで走るほうがたぶんずっと乗り心地はよくなる。それに電気自動車はストップアンドゴーに強いですから、メリットはたくさんある。

だから、自動車の電動化を進めていくとなったときに、路線バスはいの一番の格好の対象だと思いますが、日本のメーカーの製品開発は大きく立ち遅れています。

例えば、大阪の阪急バスが路線バスで電動バスを動かしていますが、これは中国製です。中国ではどんどん電動の路線バスの開発を行なっているので、10年、15年後、日本の路線バスはすべて中国製のバスが動いているという状況になっていても少しもおかしくないと思います。

お金を借りやすくするための産業政策を打ち出せなかった

高瀬　アベノミクスで異次元の金融緩和を始めたときに、デフレが何十年も続いているからインフレにしなければいけない。でも、インフレにするために金融のところだけでやった。本来だったら、なぜデフレになっているのか、なぜそこから脱却できないのかというと、産業が時代に合わなくなり需給ギャップがあるからです。ならば産業構造を転換し、企業の投資を増やさなければならない。そこにまったく手がつかなかった。
アベノミクスは三本の矢で、財政出動と成長戦略をやると言っていたが、結局やったのは異次元の金融緩和だけでした。

白井　異次元の金融緩和をやって、もっとお金を借りやすい状況を作れば、お金は貸し出され、投資がなされ経済は伸びていくはずだ。たぶんそういう考え方が、アベノミクスを立案した人にあったのではないかと思います。

しかし、今一つ例を出したように、そこにお金を投じるべきだということを日本の企業はまったくやらなかったわけです。端的には経営者の責任だと思います。たぶん失敗が怖いからです。失敗して責められるよりは、無事に社長の任期期間を終えて老後を迎えたいという根性でしか人が動かなくなった。あるいは、そういう根性しか持っていない人間が上を占めるようになっていった。

つい前の2022年の春に、京都で「鈴木敏夫とジブリ展」という展覧会（2022年4月23日〜6月19日に京都文化博物館で開催）があり家族で観に行ったんですが、その中で徳間書店の徳間康快（とくまやすよし）さんのことも紹介されていた。その徳間康快の口癖は、「心配するな、金なら銀行にいくらでもある」（笑）。

まさにアベノミクスは、「金なら銀行にいくらでもある」という状況を作ったわけです。

高瀬　しかし、そのお金を借りるための産業政策はどうだったのか……。これは財界も問題だったのでしょうが、国や政治が誘導していかなかったのではないかと……。

白井　もちろん政治のせいもありますが、私はもう、政治のせいだけとは言えない状況にあると思います。

高瀬　経済人の問題？

白井　経済人にもありますし、何というか、日本人全体の心の萎縮です。

高瀬　バブルの異常な投機熱を冷ますため、不動産向け融資の伸び率を大きく抑える総量規制をやり、一時期やり過ぎではないかと言われました。結果的にみんな萎縮してしまい、その後の貸し渋り、貸しはがしなどへとつながっていった。「羹（あつもの）に懲りて膾（なます）を吹く」ではありませんが、そこから新規のことをやらなくなって、現状維持、自分の社長在任期間が過ぎて株価が落ちなければ、「はい、次の方どうぞ」というメンタリティーになっている。それが30年続いてきた。

第二次安倍政権の8年間を振り返る

白井　デフレなのは経済だけじゃない。魂のデフレーションが起きている。

高瀬　確かにそれはあるかもしれません。でも、それを加速させたのは安倍さんの頃だったのかと思います。

安倍政権の2012年体制を考えるときに、8年くらいの間にどんなことがあったか。でたらめなことを相当やっていますが、少し振り返ってみたいと思います。

第二次安倍政権は2012年の12月に発足し、翌13年6月に「アベノミクス」を発表して威勢よくスタートしました。特定秘密保護法の強行採決、消費税8%への引き上げと続き、その後さまざまな不祥事がありました。それに森友・加計学園問題などがあり、消費税も2019年に再度上げて10%にしたわけです。安倍政権になる10年前は消費税は5%でした。それが10%になり、今みんな大変苦しんでいます。そこで、「消費税をいったん5%に戻せ」「完全に廃止しろ」と野党がこぞって主張しています。このことについてはどうですか。

白井　ここで漏れているのは、統計の数字がいろいろと改竄されているということです。部分的に出てきていますが、GDPの嵩上げなど本当はもっともっとあるのではないのかと思わせます。これも、アベノミクスが成功しているというインチキのプロパガンダをするために行なっているわけです。本当に政治が地に落ちたと思います。

普通に見れば、腐臭を放つただの汚物でしかないものを、何かわけのわからない理屈をつけて、決して悪くないんだとアクロバティックな理屈をつけて擁護する。もちろんネトウヨ系の劣化した諸君が先頭に立っているわけですが、学者やジャーナリストなど、いわゆる知的階層の中にもそういう卑しい連中が大量増殖してきました。

高瀬　増えましたね。ですから本当に政治の腐敗を批判し追い詰めて責任を取らせるということが、以前に比べてできなくなってきたと強く感じます。この後にも、使いみちのない「アベノマスク」を作ったり、シンガーソングライターで俳優の星野源さんの動画に合わせてステイホームする様子を撮ったバカな動画を作ったり、とにかくダムの堤防が決壊したような状況でした。

白井　検察はなぜこの人を捕まえないんだという話がありますが、私の聞くところによると、捕まえない理由は「一つひとつの案件がしょぼすぎて、総理の犯罪として挙げるわけにはいかない」と。確かに、そう言われればそうかもしれない。

森友問題は、国有地のちょっとした払い下げの問題ではないか。せいぜい、よくわからない右翼のおっさんを優遇したに過ぎない。加計学園問題も、国家的な問題とは言えない。いわんや「桜を見る会」は、ほとんどどうでもいい話だと……。

ロッキード事件のときなら、田中角栄をやる（逮捕する）というのは、相当なハードルでした。大事件なわけですから、やらなければいけない。逆に言えば、そこまでのことでなければ、厳密に法律を適用してしまったら、政治家は事実上政治ができなくなっていくことになる。それはある意味、日本国家を破壊することになります。ですから首相の犯罪というのはある程度大きくないと動かないという考えが、どうも検察の判断の根底にあるようです。しかし、私は今の状況に対してそれは間違っていたと思います。

安倍晋三さんのスキャンダルには、どれ一つとして、時代を画するようなものはない。ロッキード事件の背景には、日本の対米従属の問題、親米保守自民党とアメリカとの黒いつながりと暗闘の問題があった。ロッキード事件は、本当は中曽根さんが本丸であるというような、とんでもない闇を抱えた事件だったわけです。

リクルート事件がなぜ起こったか。情報産業という新しい産業が、当時はまだ得体の知れない存在だったわけですが、あの頃から情報を扱う産業が資本主義の主役になっていくわけです。しかしまだうさん臭いものでしかなかったから、経済界の主役にのし上がるために、お金をばらまかざるを得なかった。だからある意味、時代の変わり目を告げるような事件でした。

それに対して安倍さんの数々のスキャンダルは、どれもこれもただ単にくだらなかった。

高瀬　時代を画するところで起きたというよりも、自分たちの縁故を大事にしていくところで腐敗が起きているということです。

白井　だから検察は、「こんなケチなことで捕まえるわけにはいかない」と思っているのでしょうが、その判断はおかしいと思います。

高瀬　そのことが、ますます次の腐敗を呼び込んでいく……。

白井　「塵も積もれば山となる」になっている。

高瀬　そうした社会の乱れに対して、きちんと罰していくことによって、一定の秩序、規範が保たれるというのが、検察の役割だと思いますがそれをやらなかった。わかっていなかったんでしょうか。事件性はわかっていたけれど検察側も安倍政権に忖度していったところがあるのではないかとも言われていました。いろいろなものが一体化していったと我々は見ていきがちになりますが、よくわかりません。いずれにしても、三権分立と言いながら、三権分立の機能が麻痺しているような状況に陥ってしまったということです。

その後、安倍さんはコロナ対策がうまくいかなかったこともあり、体調が悪くなったという理由で辞めました。本当に具合が悪くなったのかどうか。今にして思えば、病院に入っていくシーンをカメラに撮らせたということは、視聴者国民に、病気のイメージを与え、二度目の突然の辞任への批判や反発をかわすためだったように見えます。今となっては、「ああ、なるほど」という感じですが、とにかく病気辞任となった。診断書も出ませんでした……。

安倍から菅、菅から岸田に引き継がれた腐敗した体制

高瀬　そして菅義偉政権へと引き継がれていくわけです。その決まり方も談合的でした。対抗馬として石破茂さんがいましたが、はずされたような形というか、自民党のほかの派閥によって完全に潰された感じでした。

白井　石破さんは、自民党の中で唯一、２０１２年体制の異分子だったということです。安倍政権のときからかなり批判をしていたので、菅さんが選ばれたのは、菅を選ぶこと以上に、どうやって石破氏を政治的に抹殺するかという力学が働いていました。

高瀬　あるラジオ番組の収録で石破さんにインタビューしたジャーナリストに話を聞いたことがありますが、収録が終わったあと石破さんが、「自民党の中で、こんなに冷や飯を食わされるとは思わなかった」と言ったというのです。よほど堪えていたようで、完全に潰されたということです。

つまり、「石破さん的なものはいらない、この体制にとっては邪魔だ」ということを白井さんは「構造が潰した」と書いています。構造とは腐敗している体制ですか。

白井　そうです。体制そのものです。ですから〝安倍から菅へ〟がそうでしたし、〝菅から岸田〟もそうだった。要するに、石破さん的な立ち位置に近い感じのところに、今度は河野太郎さんが入ったわけです。

高瀬　河野さんは何をやるかわからないから、体制に突如何かひびを入れるかもしれない存在だと見られたのでしょうか。

白井　そうでしょう。また、ある種の構造主義的な考え方で見ることもできます。かつて山口昌男さんなどが言っていた「中心と周縁」の論理で考えると、2012年体制そのものが自分の内側に異物を抱え込むことを望んでいるふしがあります。要するに、異物があるんだということを外にアピールすることによって、多様性があるというふりができる。

高瀬　河野さんは多様性の駒として、ある時期までは機能していた。しかし、構造全体を変えるのはダメだと。

白井　構造全体を変えてもらっては困るわけですから、異分子に引っかきまわさせることで少しだけ盛り上げて、あとは引き下がってもらうということです。

高瀬　用済みになったんだと。菅さんは河野さんを買っていて、河野さんを次の首相にして自分は後ろから隠然と、と思っていたと見られていますが、潰されて菅さんの影響力もかなり減ったということのようですが……。

白井　この体制を受け継ぐキャラクターとして、２０２２年の段階では岸田さんが一番安定しているということで選ばれたのでしょう。

高瀬　見事にそれを受け継いで政治をやっている。しかも岸田さんは、安倍さん、菅さんのように何を言い出すかわからない、強面なところがなかった。これが岸田さんの手だったわけですが、その後の展開は国民にとっては失望させられることばかりですね。

「政治主導」の実態は特定の官僚による専制的な支配である

白井　付け加えると、ポスト55年体制は健全に成立しなかったという話をしましたが、ポスト55年体制が目指した二大政党制というのは器ですから、手段に過ぎなかったはずです。その手段で何を目指すのか。それは、官僚支配からの脱却、すなわち政治主導であると言われていました。では、政治主導はどうなったのか。一方では、確かに政治主導を目指して内閣人事局が制度的に確立するところまできたわけです。しかし、実質的に政治主導はなされているでしょうか。私はまったく逆だと思います。

安倍政権のときに「官邸官僚」がやたらと注目されました。代表的なのは経産省の今井尚哉氏で、盛んに経産省内閣だと言われました。安倍政権は経産省が支えている。あとは警察官僚の北村さん（北村滋氏）、杉田さん（杉田和博氏）。こんなに官邸官僚がクローズアップされることは異様なわけです。本来、官僚というのは匿名的な存在です。

このことが何を物語っているかというと、実は政治主導というのは表向きの話であって、実態は特定の官僚による専制的な支配であるということがポイントだと思います。

高瀬　岸田政権になってから、経産省の官僚は落ちました。その代わり、財務省の官僚がしっかり後ろについている。その中から、消費税を上げていくのではないかという話が出始めた。そうなると、岸田政権ではこれまでと違う官僚が別の省庁からやってきて、彼らが動かしているのではないかということですね。

白井　そうならざるを得ない必然性があります。まず一つには、政治主導をするためには政治家が官僚を指導し、言うことを聞かせなければならない。しかし、高級官僚に言うことを聞かせるのは非常に大変です。基本的に能力の高さは間違いがない人たちであり、何らかの分野のスペシャリストです。そういう人たちに納得をさせ、言うことを聞かせるには、やはり政治家に高い能力や見識が必要です。ところが、現状は「そんなものがあるわけがない」という話ですから、逆に官僚に〝おんぶにだっこ〟になるしかないわけです。他方で、人事権だけは強大化して役人の運命を左右できるようになった。そういう空間で何が起こるかということです。

高瀬　要するに、忖度をして飛ばされないようにする。○を×と言ったり、×を○と言ったりすることも平気でやる。つまり、官僚としての仕事を果たせなくなっていく。

白井　モラルが能力にも結び付いてくるのだろうと思いますが、結局、モラル面で怪しい人たちがのし上がっていく状況に霞が関はなっているのではないでしょうか。

高瀬　森友問題のときの財務省理財局長佐川（佐川宣寿氏）はその典型でした。それ以外にもありますが。

白井　若手が霞が関でどんどん辞めていると言われていますが、当然のことだと思います。そんな腐った職場にいたら、頭がおかしくなります。

高瀬　今、官僚の話が出ましたが、白井さんが本の中でお書きになっているのが、2012年体制を支えるものとして野党の弱体化も一因であるということです。民主党は立憲民主党と国民民主党に分かれましたし、民主党政権の頃に官僚に騙されたようなことが鳩山政権のときにあったと。

私も鳩山さんから直接聞いたことがありますが、普天間基地の移転に関して「最低でも県外に」と表明しました。「民主党政権になって、今までにないことを言ってくれた」と最初は期待したわけですが、しばらく経ったら「できません」と発言を撤回しました。その裏に何があったのかということです。

白井　鳩山さんが「最低でも県外」の公約を最終的に断念するきっかけとなったのは、外務省から見せられた一枚のペーパーであるという話です。何が書いてあったかというと、米軍の見解、米軍の訓練に関する内規で、ヘリコプターの訓練についてですが、ヘリコプターが実際に訓練をする場所とヘリコプターが所属する飛行場の距離が何マイル以内という……。

高瀬　120㎞以内でなければいけないと書いてあると。

白井　ですから物理的に無理であると言われたのだ、と。

高瀬　アメリカとの取り決めがあるという話だったわけですね。

白井　それでとどめを刺される形になり断念を表明して辞任ということになりました。しかし、後にその書類を調べてみるとどうもおかしい。この書類は捏造されたものであると。

高瀬　これはすごい話で、朝日新聞がスクープとしてそのことを書いています。アメリカ軍の司令部に「ヘリコプター部隊と一定の距離が離れたらダメだ」という取り決めがあるのかを尋ねたところ、そんな基準はないと。鳩山さんは完全に騙されて前言を翻し、「情けない」ということで人気が一気に下降し、政権を投げ出した。おそらく官僚による文書の捏造があった可能性が高い。この話が本当だとしたら……。

白井　そう思います。ポイントは何かと言うと、ポスト55年体制を作ろうというときに、「官僚主導から政治主導へ」ということがアピールされ、その背景には日本の官僚制に対する批判の高まりがあった。そして、ポスト55年体制はまともな形では成立せず、その代わりに2012年体制が成立した。

これは結局何だったんだろうと考えると、1990年代にはかなり激しく批判されていた日本の官僚機構が完全に力を取り戻したということです。自分たちの独裁的権力を取り戻した。かつて55年体制では、まだ自民党の政治家も今よりしっかりしていたわけですから、官僚機構との拮抗(きっこう)関係があったと思いますが、今はひどい状況です。腐敗した専制政治を実質的には官僚がやっているという状況だと思います。

昔はメディアも官僚たたきをやっていたのに、最近は官僚批判が全然出てこなくなりました。

高瀬　安倍政権のときに、今井さんの名前や顔が出てきて、「今井さんはやり手だ、すごい人だ」「警察(官僚)もいるぞ」という話になり、あまりそこをいじれなくなってきたという感じです。

白井　日本のメディアは総じて、官僚に対してものすごく甘くなってしまったと思います。

戦後の三つの世代と対米スタンス

高瀬　政治部記者の話を聞くと、取り込まれていくところもあるようです。55年体制から2012年体制に移行していく間にいろいろあったわけですが、白井さんはこの本の中で、「戦後第一世代」「戦後第二世代」「戦後第三世代」と三つの世代に分けています。

ここで面白いと思ったのは、吉田茂や岸信介を中心とした第一世代は対米従属、これは逆コースが始まったところからそうなんですが、対米従属をやりつつ、いつかは日本も自立する、場合によっては核も持ってやるということを考えていました。それくらいの反発というか二枚腰で米国と向き合う時代があった。

ところが、日本も安定してくる中で、中曽根康弘さんが政権を担うことになります。第二世代にあたるわけです。1980年代半ばくらいです。戦後の国の体制が安定期に入ったということもあったのか、中曽根さんも若い頃は青年将校と呼ばれていましたが、次第にアメリカに逆らうことがあまりできなくなってしまっていた。

白井　不思議ですよね。石原慎太郎さんなども、「NOと言える」と一時期、威勢よくやっていたのに、晩年はアメリカのシンクタンクに行って、「尖閣諸島は東京都が買い上げる」とぶち上げて、褒めてもらって悦に入っているわけです。「ああ、昔は元気がよかったのに」という気がするわけですが、中曽根さんはその最たるものでした。

高瀬　ロンヤス関係で、東京・奥多摩の中曽根さんの別荘である日の出山荘にレーガン大統領を呼び、和服を着てお茶を点(た)てるというようなことをやりました。

白井　若い頃は「マック憲法守れるは、無条件降伏続くなり」などと言っていたのに、弱みを握られたのかなと思うほどです。

高瀬　日本経済がちょうどバブルに向かっていった時代です。その中で、中曽根さんも独自性を出せないままだった。そして、東西冷戦が終わっていく。東西対立が終焉して平成の時代になり、安倍晋三さんを代表とする第三世代になるわけですが、これは「対米従属のための対米従属」。目的と手段が一体になっているというかぐちゃぐちゃになっているというか、自己目的化してしまっている感じです。

白井　自己保身のための対米従属です。

高瀬　これは、経済が平成の30年間浮上せず、賃金も上がらなかった時代と重なっているわけですが、国家目標とか、どのように暮らしを変えていくかという政治の目的を見失ったとしか言いようがない状況です。それが第三世代。

白井　ただひたすら彼らがおいしいご飯を食べ続けられるためだけのものになった。しかし客観的にはもう保たない。だから、安倍政権の後期は実は対米従属を相対化する方向性を出していたわけです。

代表的なのは、何といっても対ロシア外交です。あの当時、クリミアの問題があり、アメリカは対ロ強硬の姿勢を見せていましたが、その中で日本はあえてロシアと交渉しようとしたわけですから、アメリカがいい顔をしたはずがないんです。それから中国。コロナで流れてしまいましたが、本当は２０２０年に習近平氏が国賓として来るはずでした。

高瀬　そうでした。2020年の4月くらいに予定していて、そこからオリンピックにもっていこうという流れだった。

白井　その間にトランプ政権がバイデン政権になり、米中関係は相当火花を散らしているわけですから、そう考えると、安倍政権の前期は対米従属強化ということでわかりやすかった。しかし、後期になるとそれとは違う方向を見ていた。そこに経済産業省も関わっていた。経済産業省は、霞が関の中では比較的、対米従属派ではない。というのは、彼らはエネルギー確保を最優先に考えるので、アメリカだけに頼るのではなく、原油とガスを持っているロシアとも付き合わないわけにはいかないだろうと。

それに対して、外務省は「ロシアはダメだ。信用できない」と嫌がるわけです。ですから、安倍政権のもとで対ロ交渉を経産省が行なうという珍光景が展開されたわけです。しかしその後、安倍さんが首相を辞めた後、何を言い出したかというと「台湾有事は日本有事だ」と。

高瀬　「仮想敵だ」というようなことを言っていますね。これは何でしょう。

白井　「一貫性はどこにあるのか、あなたの立場はどこにあるのか」と言いたくなりますが、論理的思考と無縁な人というのは、ある意味、楽なんだろうと思います。

日本の選挙は自民党への信仰を告白する場でしかない?

高瀬 自分の政権を維持するためには、「右でも左でも」というところですね。ある意味、柔軟かもしれませんが、コロッと変わってしまった。

こうして一連の流れを見てみると、日本はまったく良くなっていない。55年体制がいいとは言いませんが、まだ何か政治の軸があったような気がします。日本の経済も落ち込み、現状を見ると、この10年は「失われた10年」だったと思います。普通に考えればこの状況を変えなければいけない、まともな方向へ向かわなければならない、という発想が出てこなければいけないのに、ずっと自民党が支持されている。

「いったい何を見ているのか。政策を見ているのか。政策を見ていたら、まずいと思わないのか」と思いますが、白井さんは著書の中で、有権者は政策を見ていないのではないかと言っています。「コンジョイント分析」ということを書かれていますが、これはどういうことですか。

白井 堀内勇作さんというアメリカの大学に勤めている日本人の研究者が、2021年末の衆院選を受けて調査した結果を『日経ビジネス』に載せていたのですが、それを読んで私は衝撃を受けました。

その調査では、架空の政党1と政党2があり、原発、外交、多様性、コロナ対策、経済対策といった分野に政策をグルーピングし、その中に実在する国政政党が実際に選挙で掲げた政策をランダムに入れていくわけです。それで、架空の政党1と政党2の政策一覧表ができる。そして、どちらがいいかを選ばせる。これをいろいろな人に、項目も入れ替えて多数繰り返していく。何をやりたいかというと、政党の名前を抜きにして、純粋にどういう政策が支持されているのかを調べる調査です。

そこでわかったことは何かというと、自民党の政策はまったく支持されていないということでした。

高瀬　自民党が出している政策を名前を出さずに書いたら、ほとんど支持されなかったということですね。

白井　五つの分野の中で、ビリか下から二番目ばかりだった。それでもなぜ自民党が勝ってしまうのかというと、一つには有権者がまったく政策を見ていないからだと考えざるを得ない。

高瀬　そうですね。自民党が出している政策は、名前を消して選択させた場合には支持されていないということで、政策だけなら自民党には入れないのに、結果的に自民党が選ばれている。

白井　実はもう一つ調査を行なっていて、同じように二つの政党の政策一覧表を出しますが、そのうちの一方を自民党のものとして出す。そうすると、どんな政策でも自民党の政策として出されると、大きく支持が上がるという結果が出た。
例えば、外交・安全保障の共産党の政策はほかの政党と際立って違うものであって、日米安保体制をやめると言っている。これは純粋に政策として見た場合、非常に不人気です。ところが、自民党の政策として出すと支持が過半数になるというくらい、とにかく自民党ブランドの絶大性が証明されたわけです。

高瀬 私は最近、日本社会が自民病に罹っているのではないかと思うのですが。

白井 これはもう宗教ですよね。

高瀬 自民党は下野した時期もあったものの、55年体制からほぼ政権を担ってきた。変えたくない、安定感があるなどいろいろ理由はあるかもしれませんが、もう自民党しかないと。

白井 残念ながら、日本の標準的な有権者は政策をまるで見ていなくて、「選挙と言ったら、自民党に入れるものだ」というようにロボット的に投票しているというのが、日本の有権者のかなりの数だということが残酷にも明らかになったわけです。

高瀬 興味深い分析ですが、非常に衝撃的です。

白井 はっきり言ってしまえば、そんな社会で選挙をやっても意味がありません。

高瀬 こういうことは言いたくないですが、2022年の参院選も選挙前から結果はほぼ決まったかのごとくに言われていました。

白井 ソ連の選挙にそっくりです。

高瀬　ロシアではなく、ソ連ですか。

白井　「ソ連には民主主義がない。独裁だからダメだ」と言われていましたが、ソ連の人に言わせると「そんなことはない。ちゃんと選挙をしている」と言うわけです。どういう選挙かというと、全部信任投票です。「信任・不信任、どちらも自由に選んで書くことができる。投票の秘密もある。ちゃんと民主主義をやっているじゃないか」と言うんですが、信任の場合は普通に投票箱に近づいて投票すればいいのですが、不信任の人は別室に行き、カーテンに囲まれた所で書いて出してくださいと。不信任に入れる人はすべてわかってしまうわけです。ですから、実質的に選挙はないわけです。

ソルジェニーツィンの『収容所群島』を読んでいると、ソ連のスターリン時代の日常生活のいろいろな細かい話、詳しい話が出てきて興味深いのですが、選挙の話も出てきます。そこで、ソルジェニーツィンはいかに自分たちはソ連の実際の政治がどんなものだったのかを知らず、どれだけ自分たちはバカだったかを反省して、慚愧（ざんき）の思いで書いています。そこで言っていたのは「なぜだか知らないが、選挙の日というのは祝祭的なムードがあった。投票所にはみんなおしゃれをして行く。行くと近所の人たちがいて、互いにあいさつをするときに『選挙おめでとう』と言う。そういうのがソ連の選挙だ」と。この話は全然笑えません。日本の選挙とどこが違うんですか。

高瀬　結果として見たら、そういうことになります。

白井　自民党に対する信仰を告白する場でしかないわけです。

高瀬　政権交代のとき、民主党に人気が集中し、自民党はボロボロになりました。しかし、その後自民党はより強固になった。この10年間は、「雨降って地固まる」のような感じですね。

白井　本当に凄まじいのは、あのオリンピックの醜悪さ、原発事故の処理のでたらめさ、そしてコロナ対策のでたらめさを見せつけられても、自民党が支持されるところです。

高瀬　白井さんがよくおっしゃいますが、この状況はもう小手先では変えられない。何かを変えたから、制度をどうかしたから、スキャンダルが起きたからとか、そんなことで何かが変わるわけではない。非常に多種多様な困難が折り重なっている構造化された愚かさだと。

白井　そういうことを言うと「もう諦めたのか」とたまに言われますが、そういうことではありません。今ある現実を認めなくてはいけない。そして、例えば政治の世界で言えば、やはり山本太郎さんがすごいと思うのは、生命力が減退してすべてを諦めているような状態の市民社会があるわけですが、そのような状態を変えるために呼びかけているわけです。それをやっている政治家であるという意味で、もともと永田町から出てきたようなほかの野党の政治家とは根本的に違うと思います。

現状を変えるには持ち場、持ち場で抵抗することが大事

高瀬　そうすると、今の状況を変えるのはなかなか大変です。それでもやはり諦めないということなんでしょうね。

白井　そうですね。諦めないことも大事ですが、下手にごまかさないことが一番大事だと思います。要するに、今の状態は悲惨の極みでしかない。政治的無関心、社会的無関心、社会は存在しないかのような生き方。若年層になればなるほど、その傾向が強いと感じさせられます。

こうした指摘をすると、「若者をディスっている」と言ってくる人がいます。しかし、そういう問題ではない。若者が悪いという話をしているのではなく、若者や子どもがそうなってしまうような社会を、より年長の日本人が作ったんです。責めても仕方ないのですが、「今これだけあなた方は悲惨ですよ」ということを当事者に認識させなければダメです。

高瀬　「仕方ないよね。何とかここまで来たから」では未来が見えない。

白井　「悲惨ではない」とか「悲惨だと指摘すると、ディスっていると言われる」とか、わけがわからない話で、まったく無意味です。上から眺めようが下から眺めようが、右

から眺めようが左から眺めようが、悲惨なものは悲惨です。そこをごまかしてはいけないという話だと思います。

高瀬　そこがもっとクリアに見えてこないといけませんね。全体に霧がかかったような社会になっていると感じます。

もう一点、コロナ対策などで自治体によっては県知事、市区町村のレベルでリーダーが独自性を発揮したところもあります。「国の言う通りにはしない。我々はこういう体制でやる」というような、具体的な現場から何かを変えていくことを続けなければいけないですね。

白井　コロナの問題は本の中でも書きましたが、要点だけ言うと、検査抑制はとんでもない話だった。「ＰＣＲ検査を増やすべきか」「いや、増やしてはいけない」といった論争が起こった国は、おそらく日本だけです。

高瀬　厚生労働省の中で医系技官と呼ばれる人たちが大きな影響力を持っていて、厚生労働省とつながっている国立感染症研究所、さらに保健所といったラインがＰＣＲ検査を批判したといったことがある。

白井　とんでもない罪深さはどこにあるかと言うと、あれで感染症対策の原理原則がでたらめになった。

高瀬　本当にそう思います。

白井　感染症対策は、検査と隔離が原則です。検査をして、罹った人を隔離する。これはどんな感染症でもそうだという話で、検査しないと隔離しようがない。

高瀬　そこがグズグズになりましたから、結局、感染者の数だけは毎日出てきましたが、いったいどういう状況でどんな科学的根拠に基づいて緊急事態宣言を出すのか、取りやめるのかということが国民にはよくわからないまま、そのときの政治の気分や政局のカレンダーを見ながら対策のようなものを行なっていたように見えます。今は感染症の患者が増えていますが、国民の感情は「大丈夫だよね」という気分が街の中に蔓延している。

白井　結局、自然鎮静化に頼るということになるのでしょうが、本丸の悪には医系技官たちのとんでもない判断がありました。しかし、悪いのは彼らだけではありません。彼らを取り巻く専門家群にも責任があります。舘田一博（たてだかずひろ）さんという感染症の専門家の大物が自分もコロナに罹って言ったことには、「ＰＣＲ検査をもっと早くやればよかった」です。命懸けのギャグですね。

高瀬　専門家が専門家の独自性を発揮できない。政治に対してとか、いろいろな忖度が入っているのでしょう。ここに日本社会が深い所に抱えている宿痾（しゅくあ）のようなものがある。

白井　３・11のときを思い出します。原発役人がいて、御用学者の専門家がいて、というあの世界とそっくりではないですか。

高瀬　しかし、そこに政治の意思が強烈に反映しているかといったらそれも怪しく、専門家に依存しているようなところがあり、専門家は専門家で顔は政治のほうを見ながら、何か「このへんが落としどころ……」という感じです。

中国が上海をロックダウンしたとき、「すごいな」という話になりますが、意思を持っています。正しいかどうか、どう判断すべきかは別の問題ですが、一つの意思を持って何かの問題に対応しようというところが日本にはまったくない。ここは、すごく大事だと思います。

白井　そういう中でも「検査抑制はおかしい」と政府の言うことを聞かなかった自治体の長がいるわけです。有名なのは世田谷区区長の保坂さん（保坂展人氏）。ほかにも和歌山県や広島県の知事、大阪の寝屋川市の市長はいい働きをした。その人たちの共通の特徴は何かと言うと、単純な原則ですが、事象の本質、事物の本質に即した対応をしたことです。感染症に対しては検査をして隔離する必要がある。それが基本でそれを淡々とやるということです。腐敗した社会では、この当たり前のことをするのに勇気がいるという状況が生まれるわけです。

高瀬　持ち場持ち場で抵抗することだと白井さんはお書きになっていますが、自分が「こうだ」と思ったことは国がどう言おうと、国民のため、地方の住民のために、体を張ってでもやるんだということがもう少し広まっていかないといけませんね。

白井　現場にも大きな現場や小さな現場などいろいろあります。また人がそれぞれ負う責任も小さかったり中くらいだったり大きかったりするわけですが、それを一人ひとりが負うということです。

6

限界を迎えた戦後体制を清算すべき

明治維新77年〜戦後77年で迎えた危機

2022年は戦前と戦後の時代の時間量が等しくなる年

高瀬　2022年7月に『日本のいちばん長い日』という上下巻のコミックが文藝春秋から発売されました。同様のタイトルでは単行本や文庫本が過去に出版され、映像化もされているので内容をご存じの方もいると思います。

この本の内容は、1945年8月14日正午のポツダム宣言受諾決定から、翌15日正午の昭和天皇による玉音放送までの激動の24時間を描いたものです。

この『日本のいちばん長い日』には終戦の日が描かれています。別の言い方をすると、大日本帝国最後の日ということでもあります。昭和史を画然と分かつ日でもあり、欧米諸国に完膚（かんぷ）なきまでに叩きのめされた日として世界史にも刻印されている日でもあるわけです。

明治維新から77年経ったときにこの「日本のいちばん長い日」があるわけですが、2022年は戦後から77年と、ちょうど同じ時間が流れたことになります。77年が二つあって蝶番（ちょうつがい）のようになっている。白井さんはこの日をどのように考えていますか？

白井　私は2018年に『国体論』という本を出しましたが、この中で自分なりに近現代日本史をトータルにとらえるための史観を提示してみました。日本の近代が明治維新から始まったと考えると、国体というシステムが二度にわたって形成され、崩壊していく。国体の形成と崩壊が二度繰り返されるという歴史であるとの史観を示しました。

そのときの「国体」とは、戦前に関してはいわゆる天皇中心主義の天皇制国家とも言われた体制です。戦後、「国体」という言葉は死語になったのだから、戦後の社会には「国体」というものはないということになっています。しかし、それは表層に過ぎない。実は国体の頂点たる天皇のところをアメリカにすり替えた形でできているのが戦後の社会であり、日本国家なのではないかという仮説を私は立てました。

そう考えると、２０２２年はとても重要な年だということになります。なぜかと言えば、明治維新から１９４５年の敗戦までが77年間、１９４５年の敗戦から現在までが77年間。つまり、今年は戦前という時代と戦後という時代が時間量として等しくなる。

ということは、そこから何が示唆されるかというと、77年間かけて戦前の国体は発展もしたが途中で道を誤ってしまい、77年目に破滅、崩壊を迎えた。戦後も同じことになっているのではないか。対米従属体制によって国の復興を果たしただけでなく、経済大国とまで言われるくらいの発展をした。ところが、途中から然るべき軌道修正ができなくなって、この30年くらい失われっぱなしの時代になっている。いろいろな限界がそこここに見えてきて、統治も崩壊してきているのではないか。この体制を清算しなければ、我々の未来はないと、私は繰り返し繰り返ししつこく言ってきているわけですが、２０２２年が大事だというのは、ちょうど77年目なので、そろそろその崩壊もあらわになってくる頃合いではないかと。

不思議なことに、私以外、戦前と戦後の時間量が同じになるということを誰も指摘しない。２０１８年の『国体論』以来、「２０２２年は大変ですよ」とノストラダムスの大予言みたいに言っていたんですが、果たせるかな、その通りになっていると自負するところがあります。まず対外的にはロシアとウクライナの紛争が起きて、これはアメリカが世界をコントロールする力がなくなってきたということが非常に可視化されてきています。そういう意味で、戦後の秩序が国際的に、もう保たなくなってきている。

国内的には安倍晋三さんの殺害事件です。事件の背景が明らかになってくるにつれて、まさに私が言う戦後の国体というものを、一般社会からは見えない形で支えてきたいろいろな骨組みが見えてきている。統一教会イコール勝共連合の存在が思い出されると、笹川良一とか、児玉誉士夫といった闇の紳士たちの名前が必然的に浮かび上がってきます。彼らは戦後の親米保守支配体制の基礎を作ってきた人たちであり、それを作る手段がどんなものであったか、そしてそれが今に至るまでどんな形でキャリーオーバーされているのか。結局、統一教会問題を掘っていくと、そこに行きつかざるを得ないわけです。

8月15日へ向けての政府、軍部の思惑と動き

高瀬　白井さんがずっと書かれてきた「戦後レジーム」という状況があるわけですね。その実態みたいなものが思わぬところから暴き出され、おそらくこれだけ広く日本国民に「戦後ってこういう人たちによってこんなふうに政治が動いていたのか」というメカニズムというか、安倍一強体制のからくりも、統一教会がすべてとは言いませんが、そのメカニズムの一端が出てきました。これは偶然じゃないというのが、より一層迫ってくる感じがします。

そういう意味で、まさにそのど真ん中、最初の国体の崩壊が、1945年8月14日～15日。ただ、この日だけを取り上げてもわかりにくいところがあり、少し前段階から見ていかないといけない。アメリカ、イギリス、中国の三国によって、日本への無条件降伏勧告、いわゆるポツダム宣言が7月26日に出されます。三か国から見ると最後通牒で、これを受け止めなければほかの選択肢はないと突きつけたわけです。27日に最高戦争指導会議が開かれ、受諾派と拒絶派に分かれます。受諾派は外相、海相ら、拒絶派は陸軍が中心ということになっています。

当時、ソ連に和平交渉を呼びかけていて、返事がこないので待っていたわけですが、

結局、ソ連の回答がきてから考えてもいいのではないかというくらい悠長にやっている。

白井　これは、本当に致命的な間違いでした。はっきり言って間抜けです。ソ連は日本を相手にしていなかったんです。極めて冷ややかに、放っておけというような感じで、対日参戦の準備を着々と進めている時期ですから。日本の企みは本当に虫のいい話だと思います。日本は、あれだけ凄まじい反共国家だったわけです。それなのに、困ったらソ連がこちらに有利なように仲介してくれるのではないかという望みを持ち続けたのは、こういう極限状況下にあって、人間がどれだけ希望的観測にすがってしまうのかということを表している実例かもしれません。

高瀬　ポツダム宣言を最後通牒とは受け止めずに、一つの宣言と受け止めた。これを報道各社が報道するわけです。「笑止千万」という言葉がありますが、「笑止！　対日降伏条件」「政府黙殺」「笑止！　米英蔣共同宣言、自惚れ撃砕せん、聖戦を飽くまで完遂」といった具合です。「こんなものは相手にしない」というようなことを書いていましたから、メディアも完全におかしい。

白井　凄まじいですね。これが当時の朝日新聞、毎日新聞などですから。

高瀬　完全に軍部に押さえ込まれた言論が、その状況下で、しょうがないから書いているというよりも自分のものになってしまっている。

白井　こういうことを書かされているというより、むしろノリノリで書いている……。細かいことを言えば、政府は静観という態度を決め、それをどのようにして連合国側に伝えるかということと、同じことを国民にどう伝えるかということで、なかなかニュアンスが難しかったわけですが、メディアは何かを言わないわけにはいかない。ポツダム宣言に対して日本政府が黙殺だということを言ったら、新聞が一斉に「笑止だ！」と。正確に言えば、日本政府が「静観だ」という態度を示したところ、新聞は「笑止だ！」というような報道を行ない、鈴木貫太郎が新聞記者に対して「黙殺だ」というふうに言って、連合国側は無視するということだと受け止めた。

高瀬　日本政府はポツダム宣言を拒絶する気だと連合国側が受け止めたわけで、非常に重要な時期にきていました。しかも、降伏したほうがいいだろう、戦争はもうやめたほうがいいだろうと日本は思っているにもかかわらず、ズレというか錯誤が最高戦争指導会議のメンバーの中にあったわけです。

結局、和平交渉をソ連に頼ることを中心に考えたことが大きな間違いだったということです。時間が過ぎて8月になってもソ連から回答がない。これは当然です。そうこうしているうちに、8月6日に広島に原爆が投下される。それを聞いて、天皇が最高戦争指導会議招集を鈴木貫太郎首相に間接的に指示した。ところが、8日に会議をやろうとしたら最高会議のメンバーがそろわない。悠長極まりないというか、そんな状況でまた時間が過ぎていく。

そして、8月9日にソ連が満州と樺太（からふと）に攻め入ってくる。これはヤルタ会談の密約に沿ったものでした。ドイツ降伏から3か月以内にソ連が満州に攻め入るということをアメリカ、イギリスが承認していました。その通りにやったということになります。

そして午前10時30分に閣議があって、ポツダム宣言受諾の方向に動き出すわけですが、このとき無条件か国体護持の条件をつけるかでまた議論になります。受諾派は天皇の地位、天皇制の保持なら降伏しようと。ここのところはあまりはっきり書いていなかったようですね。はっきりとは書いていないが、大丈夫だと見たところがある。

ところが陸軍のほうは、国体護持にプラスして日本の占領は短期間で終わらせてほしい。それから武装解除、戦犯の措置は我々がやりたい。そういう条件が付くならば、これは呑むということで、ここのところはズレがあります。

同じ日の午前11時2分、長崎に原爆が投下される。一方で、陸軍の中にこういう動きを見ながらクーデターを計画しようという話も出てくるということで、最高戦争指導会議では結局、結論が出ないということになる。

そして御前会議が開かれて、話が延々と長引いていくわけですが、午前2時に、結論が出ずに天皇の「聖断」を仰ぐということになる。昭和天皇は何と言ったかというと、「外相、海相らの意見に同意である」ということで、ポツダム宣言受諾の電報を連合国側に打つ。結局これは、最高戦争指導会議があるにもかかわらず、天皇に頼るしかなかったということですか?

白井　本当に、天皇頼りになってしまっている状況ですよね。これが「無責任の体系」の究極的な帰結だったということかもしれません。後にこれは丸山真男が東京裁判を見ながら怒りつつ嘆くことでもありますが、戦争指導者たちが法廷に引きずり出されて証言を求められたとき、誰一人として「私が戦争を始めた」という人はいなかったわけです。「でも、やったじゃないか?」と言われると、「私も本当はしたくなかったが、いつの間にか、そうせざるを得ないような状況になってしまった」という証言をみんながそろってする。しかもそれが、実態に即していると言えば言える。そんな感じだったことは間違いがない。

高瀬　空気みたいなものが決めていくという言い方があります。総理大臣だけでなく、陸相、海相がいて、議論を引っぱっていくわけですが、最終的には統帥権を持っている天皇に許可を求める。天皇も、自分は何も持たないが、空気で作られていったものに反対はできないみたいな中で結論を出していく。

ドイツのナチスのヒトラーが「俺が始めるんだ」と言って始めた戦争とは全然違う。これは何か、日本という国はずっとそのようにして動いてきたのかなと思いたくなるようなところがあります。

白井　そこは難しいところです。それが日本人の根源的なメンタリティーだという解釈、立場を取るならば、我々はたぶん国家とか持たないほうがいいという結論にすらなりますよね。

国体護持できるか否かが一番のキーポイントだった

高瀬　ここのところが、天皇制国家の持っているわかりにくさというか、それがこのような交渉の経過を見ているとわかるような感じがしてきます。天皇のご聖断が下った。聖断が下ったのだが、そう簡単に事は終わらないという……。

ここがまた奇妙なところですが、10日に陸軍の一部で徹底抗戦の声が出てくる。12日に、今度は連合国から「ポツダム宣言を受諾します」と日本側が電報を打ったことに対して回答が届く。これを見た外務省は、「国体は護持されるようだ。ポツダム宣言は受諾されるだろう」と見るのですが、陸軍は回答文を「天皇および日本国政府の国家の統治の権限は、連合軍総司令官に隷属するものとす」と独自に翻訳する。そこで陸軍は「何だとー！」と怒る。この点をどう見ますか？

白井　いわゆる「サブジェクト・トゥー（subject to）問題」ですね。要するにこれは、天皇制の維持、国体護持ができるなら受諾すると日本は連合国側に伝えて、連合国側からは「天皇および日本国政府の国家の統治の権限は、subject to 連合軍総司令官」という回答が来る。英文解釈の問題になるわけですが、サブジェクト・トゥー（subject to）とはどういう意味か。ニュートラルな訳は、「従属する」です。強く言えば「隷属する」、ものすごく柔らかく意訳すると「制限される」という外務省の解釈になるわけですが、外務省は柔らかく解釈することによって、国体護持はできるという理屈にしたかった。
それに対して陸軍のほうは、「これは完全に国体の否定ではないか。こんなものは呑めない」と言って怒るわけですが、言葉の本義からすると、どちらかといったら陸軍の解釈のほうが正しいです。

高瀬　外務省側、和平派のほうは、何とかまとめたいということで柔らかく解釈した。しかし陸軍は「そんなものではない」と、ある意味、本質を見ていたということでしょうか。

聖断が下されたにもかかわらず、文言をめぐって揉める。その間に、若手の将校たちが徹底抗戦でクーデター計画を動かそうとしていく。二回目の御前会議が8月14日に開かれます。二回目の聖断ということで、一刻も早い終戦を呼びかけ、9日の聖断をより強く迫り、最終の決定とするものだった。「国民に呼びかけることがよければ、いつでもマイクの前に立つ」と昭和天皇が述べ、書記官が終戦の詔書づくりに取りかかっていく。また、情報局の下村宏総裁の記者会見が行なわれます。これに対して陸軍の一部が反発し、天皇の聖断すら聞かないという恐ろしい状況が生まれてきます。

結局、その中心にあるのは、国体の護持をどうするのかということです。国体が一番のキーポイントになるということですね。

白井　この歴史を振り返るうえで、何点か大事なことがあると思いますが、まずは国体とか国体護持という言葉です。先ほども少し言いましたが、国体という言葉は死語になっているわけです。戦後日本人にとっては、どんどん遠くなっていった言葉だったということですが、そのこと自体が異常なことではないか。

どうしてかというと、この戦争の土壇場の瞬間にあっても国体を護持できるか否かということが、ここまでの大問題になっていたわけです。そのような意味で、国体というのは当時の日本人にとって命の次どころではなく、ことによっては命よりも大事なものだったはずなんです。少なくとも、公式イデオロギー的にはそういうものだった。そこまでして、守り抜かねばならないものだった。

その観念が、戦後、いわば蒸発するように消えていったのだとすれば、いったい日本人の精神に何が起こったのだろうかというのは、これ自体が巨大な謎であるはずなんです。

これは『国体論』の中で書いたことですが、未曾有の事態が起きたというのは、日本側はポツダム宣言の文面を読んで、「果たして国体は護持できるのかどうか。大丈夫だろうね」と連合国に問うわけですが、そのときに翻訳の問題というか「国体護持はできるのですか?」とそのまま聞くことはできない。まず、国体なる観念を翻訳して、外国人にも通じるものとして言語化しなければならないという状況が生じた。言ってみれば、国体の観念を客観化する必要に迫られたわけです。それは本当に、未曾有の事態だったと思います。

なぜなら、国体は戦前の日本人にとっては万邦無比(ばんぽうむひ)で有難いものだ、その万邦無比の国体の下に生まれた日本人である私たちというのは本当に幸せだという、ある種のイデオロギー的宇宙の中で生きてきたわけです。日本人だけで生きている限りは、そこに好きな観念をいくらでも投げ込むことができる。それで「私たちはこんなに幸せなんだ」と言って内輪で盛り上がっているだけなら、それはそれで「勝手にしてください」という話です。しかし、日本人がいろいろと主観的に思い込むことができる国体とは何なんだということに関し、日本人のその思い込みを共有しない他者に伝えなければならない瞬間が訪れたわけです。

高瀬　これは難しいですね。単純化すると、国体というのは天皇および天皇制。言葉で言ったらそれだけですが、実態というものがよくわからないですよね。

白井　実は、日本人だってよくわかっていない。

高瀬　「天皇を戴いて、天皇の大御心のもとに一国が……」という言い方なのか、どのように訳したんでしょう?

白井　結局、天皇の支配大権という形で訳しています。

高瀬　一つは国体の護持をどう客体化するかという点にあったわけですが、では国体を護持するというのは日本人にとって、特にこだわっていた当時の軍部にとってはどういう意味を持っていたと思いますか?

白井　私は、ここで非常に興味深いことがまた起こっていると思うんです。国体観念を客観化する必要に迫られた。そして、連合国から、「中長期的にあなたたちの国が今後どういう形でやっていくかというのはあなた方自身が決めることだ」という回答を得て、大丈夫だろうと考えた。

もう一つは『日本のいちばん長い日』には入っていない話ですが、どうもスイス経由で、天皇は助命する、戦犯として裁くことはないという意思表示が内密に伝えられていたという説があります。

当時、昭和天皇に対して陸軍軍人などが何度も「これは最後まで一戦交えてやらなければ、お守りできない」と言うのに対して、天皇は「大丈夫だ。国体護持に関しては心配しなくていい」と言い返したというのは、その情報があったからだというわけです。

高瀬　戦後、日本国憲法を作っていく際、まず日本側が素案を出してきたときに大日本帝国憲法を少々いじった程度の昔ながらのものを出してきた。これではダメだとアメリカ側が急遽1週間くらいで作り直し、戦争を放棄する第9条を入れます。なぜそんなことをしたかと言うと、アメリカは日本の占領をスムーズに行なうために天皇の戦争責任を問わない考えを持っていた。連合国側の極東委員会が一週間後くらいに開かれるわけですが、そのとき他の連合国はおそらく天皇の戦争責任を追及してくることが予想される。そこで、日本側に対して武装解除するくらいのことを憲法で定めておかないと他の連合国を説得できないと判断したという説があります。

白井　それは相当証明されています。

高瀬　そうすると、今の話と矛盾してくるところが出てくると思うんです。戦争が終わる直前には天皇を助けるという話があったにもかかわらず、戦後になると今度は「このままだと、戦犯として天皇の戦争責任が追及されるぞ」と。

白井　連合国の間で、またアメリカの内部で、ものすごいせめぎ合いがあったと思います。結局、マッカーサー自身が断固守る派の立場を取っていくので、最終的に守り抜かれることになったという結果だろうと思います。

高瀬　このあたりにまだ隠されていることがありそうですし、興味深いものがあります。

徹底抗戦を唱えた青年将校を「狂っていた」ですませてよいのか？

白井　それで、さらにこれが非常に重要だというのは、だいたい戦後の歴史の見方として、それこそ『日本のいちばん長い日』という作品は大変影響力がある作品で、戦後日本人のオーソドックスな歴史の見方を確立していった書物の一つだと思いますが、普通に見れば、徹底抗戦を唱えた青年将校クラスの人たちはどう見えるかと言うと、基本的に〝狂気〟というふうに見えます。

しかし、私はつくづく思うのですが、「あれは狂っていたね」「狂った人たちは押さえ込まれて、あそこで戦争が終わってよかったね」で済ませて本当にいいのだろうかとずっと感じています。結局、本土決戦を回避したわけです。もちろん、人道的見地に立てば本土決戦を回避してよかった。もしも、回避していなかったら高瀬さんも私も、この世に存在していない可能性はかなりあるわけで、今生きている日本人の多くがそもそも生まれなかった可能性もかなりあります。

けれども、それをやらなかったことによって、何が失われたかということも考えなければいけないと思います。これは、代表的には吉本隆明が鋭く突き付けた問題だと思いますが、あの戦争が終わったとき、大衆はどうしたか。目を見張って、若き吉本は大衆の動向を見ていました。「戦争が終わったなんて納得できるだろうか」と。これまで「一億火の玉だ」と政府は言っていたわけです。それがいきなり「やめるんです」と。「ふざけるんじゃない。自分はあくまで戦う」という人が出るかと思ったが、それは出なかった。

他方で、こんなふざけた戦争を延々とやらせて、犠牲の山を積み重ねていって、挙げ句もう降参だ、と。「こんな政府はぶっ潰す」と言って革命を始めた者がいたかといえば、それもいなかった。

結局、みんな嬉々としてそれぞれ食料を担いで、田舎へ戻っていった。そこに彼は、敗戦することすらできなかった日本人を見た。吉本の有名な言葉ですが、「絶望的な大衆の原像」というやつです。しかし、実力で終戦を阻止しようとした「狂気の青年将校」は、ごく少数いた。彼らはこの「大衆」たることを拒んだ人たちだったのです。

高瀬　それは大事なところに触れているような気がします。映画にもなりました。何年か前に作られた一番新しい映画の中に登場する畑中（健二）少佐が一番過激で、「絶対戦うぞ」と一歩も引かない。その役を若手俳優の松坂桃李さんが演じていました。たいへんな熱演でこめかみに青筋を立て「何が何でも徹底抗戦をする」といきり立つ。結局、敗れるわけですが、あのシーンを見ていると戦慄します。ただ、彼をそういう恐ろしいものとして、単にファナティックなものとして切り捨てるようではわからないものがあるのではないかということですね。

白井　結局、8月15日以前に自分が発していた言葉というものに、責任を持とうとした人がどれくらいいたかということなんです。「一億火の玉」だ、「聖戦完遂」だと言っていたわけじゃないですか。玉音放送が流れたからといって、それを突然、全部捨ててしまうという日本人のメンタリティーはどうなんだという話になりますし、戦後、教育現場ではこれまで「天皇陛下の御ために死ぬことが、日本人としての当然の義務であり幸福だ」と説いていた教師たちが「民主主義です」と言い出す。

だから、当時、太宰治は戦争直後に「天皇陛下万歳。これが新しい思想だ」と書きました。

高瀬　太宰の小説でいえば『トカトントン』なども「結局何かやっても、どうせまた違うんだろう」というようなことで、非常にニヒルな感じの小説でした。

白井　その問題がぎゅっと詰まっているのが、宮城事件なんです。ポツダム宣言受諾が連合国に通達された後、これを認めない一部の青年将校が天皇を拉致監禁、脅迫をして、継戦させようとしたクーデター未遂です。

高瀬　近衛師団に嘘の命令を出して、出動しろと言いました。それが宮城事件。宮城とは皇居のことです。

こうなると、本当にどう考えたらいいのか。日本国民自体が戦争に飽き飽きしていたし、口では「撃ちてし止まん！」と言っていても、「どうでもいいや」くらいに思っていたというのはありますね。

白井　半藤さん（作家の半藤一利氏）がすごくいいことを書いていらして、畑中少佐がどのような心境だったかを解釈しているわけですが、畑中らは言わば国体観念というのを前代未聞の形で突き詰めることになったんだと。その直前には、大日本帝国の首脳部が外からの力で客観化することを迫られた。その後で、今度は高位高官の人物ではない、軍人とはいえ一般庶民の次元で主体の問題が立ち上がってきて、主体として国体なるものをどう生きるんだと。結局、畑中はどういう境地に達したかというと、承詔必謹（いったん詔が下されたならば必ず謹んで従えという意味）ではないと。国体を護持するとは何なのか。承詔必謹するということが国体的な実践ではない。陛下がもう戦争を終わらせようと言ったことは確かである。にもかかわらずときには陛下の言うことに反して……、ということです。それが本当の意味で国体を生きることだという方向へ突っ走っていったわけです。

高瀬　つまり、天皇のご聖断が下ろうと、本来の国体を守るということはそういうことではない。「陛下、そうではないですよ。陛下を中心とした国体はそういうものではない」ということを、暗に言っているようなものです。これは、結構すごいことですね。

白井　二・二六事件の時点で一部の青年将校たちは、そこまでの境地、覚悟に達していた。多数派ではなかったようですが。それがある種、隔世遺伝的にきていますよね。

高瀬　しかし、それに対して昭和天皇は激怒し非常に厳しい態度で、「自ら近衛師団を率いて鎮圧の指揮をとる」とまで言った。それに対して、そのとき決起した将校の無念の想いを三島由紀夫が「英霊の聲（こえ）」という小説で描きました。

白井　興味深いのは、こういった主体的国体観念に達する軍人というのは、佐官クラスなんですよね。

高瀬　私もそう思いました。中佐や少佐……。

白井　佐官とあとは尉官。将官クラスはダメです。

高瀬　会社で言うと、部長や課長クラスが一番危機感を持って、会社のことを考えていて、「このままではいかん」と反乱を起こすみたいな感じですね。ここは確かに、日本の歴史の中でもよくあることだと思います。特攻隊の生みの親の大西滝治郎軍令部次長もすごいことを言っています。今の第一生命ビルにあった東部軍管区司令部に「天皇にご再考を願う」とやってきて、こう言ったのです。「今後2000万人の日本人を殺す覚悟で、これを特攻として用いれば決して負けません」と。これは畑中少佐が言っていることと同じようなことなんでしょうか。

白井 大西中将はここでやめるわけにはいかないと心の底から思っていた数少ない将官だったと思われます。阿南陸相と同様に、終戦直後に自決しました。

陸海軍の将校に影響を与えた思想家・平泉澄とは？

高瀬 それにしても、恐ろしいことを言い出すなと感じるんですが、いずれにしても、佐官クラスとか尉官クラスが国体に対して純化していく。そういう彼らが影響を受けた思想家がいます。東京帝大教授の平泉澄という博士です。この人がやっていた青々塾には陸海軍の将校が多かった。

阿南惟幾(これちか)陸軍大臣の義理の弟が竹下正彦中佐、クーデター計画を畑中少佐などと組んで一緒にやろうとする。竹下中佐もこの平泉澄の門下生でした。この平泉澄はどのような歴史観を持っているかというと、「建国以来、日本は君臣の身分が天地の如く自然に定まり、万物の所有は現人神(あらひとがみ)の天皇に帰するがゆえに国民は皆、報恩感謝の精神で暮らさなければならない。そこから導かれるのが、国民の生命を助けるなどという理由で無条件降伏するということは却(かえ)って秩序を破り、国体を破壊することになる。これを阻止しなければならないと考える」。これは、なかなかついていけない感じがするんですが。

白井　平泉はそういうことを言っていたわけですが、結局、天皇がご聖断を下したらそれに従うという姿勢になっていくわけです。だから、平泉氏はある意味すごい人ですよね。それでもって戦後の時代も生き延びて世を渡っていくわけですから。

高瀬　兵とともに「私は学者だけど絶対やろう」という意志をどこまで持っていたのか……。言うことは言っているが、肝心のときには……。

白井　いわゆる皇国史観の代表的な学者、論客として、戦前、軍人たちから慕われ、崇敬の対象になっていた。例えば丸山真男などは、東京帝大で彼の下にいたこともあるわけですが、戦後、呆れて次のように書いているわけです。足利尊氏の「たか」の字を尊敬の「尊」と書いたら、テストでバツにされた。もともと高い・低いの「高」だったが、鎌倉幕府を倒したということで、後醍醐天皇から「尊」の字をいただいたにもかかわらず、後に後醍醐天皇に反逆することになったので、平泉史観からすると最悪の逆賊ということになる。だから、「尊」と書いてはダメだと。

高瀬　この章で取り上げた『日本のいちばん長い日』の中に、マンガを描いた星野さんが「これは私の想像ですが」と断っているところがあります。ですから、半藤さんがお書きになった原本にははっきりとした形ではたぶん書かれていないはずなのですが、星野さんは次のようなことを書いています。

「平泉博士は、一度だけ昭和天皇に日本史の進講をしたことがある」。そのとき、南北朝時代のきっかけとなった後醍醐天皇を、理想の天皇として称揚した。ところが、昭和天皇など、今に続く天皇は北朝系なわけです。そんな北朝系の天皇に対して、南朝のほうを称揚した。

そしてこの後に、「マンガ家の想像ですが」として、史実が縷々説明されていて、その最後に星野さんが解釈しているところが一か所あります。南北朝時代は700年くらい前ですが、朝廷が二つに分かれる。後醍醐天皇が吉野へ逃れ、足利尊氏が光明天皇を即位させて北朝を作るというところから始まる。南北朝対立の時代が60年ほど続き、結局、南朝の側が吸収されるような形で一本化され、南北朝は終わっていく。

ところがこの後、南朝の勢力、支持者が残っていて、いろいろ連綿と続いていくということで後南朝の話が出てきます。あまり日本史では習いません。いずれにしても、ときが流れて江戸時代、水戸光圀が編纂した『大日本史』の中で、正統な皇統は北朝ではなく南朝であると論じた。幕末、水戸は尊王攘夷の震源地というか発祥地になりますが、長州の吉田松陰など水戸で学んだ志士が南朝正統論を共有していく。

そして、松陰の弟子であった山県有朋が明治天皇に対して、「南朝こそ正統な皇統なり」ということで北朝の明治天皇に裁可を下させている。そして皇居の外苑に、後醍醐天皇の忠実な部下であった楠木正成の銅像が建てられた。確かに現在もあります。山県らの運動で教科書にも楠木正成が英雄として記載されるようになります。その後、南朝の熊沢天皇を立てて王朝交代を行なおうとした軍事クーデターもあったという話です。ここでマンガ家の星野さんが想像しているのが、太平洋戦争を始めるときに、何らかの形で昭和天皇に対して「今は北朝のあなたが天皇をやっているが、南朝がある」ということで威嚇があったのではないかと。

これはあくまで想像ということですが、ずっと説明してきたことを見ると、南北朝はそう簡単に遠い歴史の話だとして切り捨てることはできないと感じました。白井さんはどうですか？

白井　ここは、天皇制論議の中で一番面白い部分の一つです。水戸光圀が『大日本史』の中で南朝に軍配を上げたことは、後々かなり影響力を持つことになりました。日本の統治の正統性根拠を天皇に置くと、現在にまで続く天皇は北朝系であるのですが、にもかかわらず、南朝的なものがある意味では、より重い正統性を帯びて肯定されている。つまり天皇制の中に実はもう二つの中心が置かれることになり、楕円のようになる。天皇家の構造の中にそれを脅かしかねない要素が入り込むという奇妙な事態が起こる。

先ほどの平泉史学は実に徹底したもので、平泉によると、天皇ご親政の時代だけがいわば正しい時代であって、それ以外の徳川将軍など代理を名乗る者が大きな顔をしている時代というのは間違った時代だと答えたそうです。

「そうなると、平安時代の一部と奈良時代、あとは後醍醐天皇の親政くらいしか正しい時代はなく、日本史における大部分の時代は間違った時代だったのではないでしょうか」と誰かが聞いたら、「その通りだ」と。

高瀬　日本の歴史は間違ったものがいっぱいあって、本来の日本の歴史は天皇親政の時代であるべきだと。

白井　ですから、明治時代以降、久々に正しい時代になったというのが基本認識になるのでしょうし、それを続けていかなければならないという考え方になるということです。

高瀬　すごいですね。

白井　しかし、明治維新後の日本も現実には天皇親政ではないわけです。藩閥政治家とか財閥とかがでかい顔をしている。どうやってそうした現実を否定するかといったときに、南朝的観念というのが原動力になるわけです。

高瀬　これが無名の学者だったならばともかく、知名度のある学者が軍人に影響を与えている。そして、そこから流れ込んできた思想が国体純化のようなところへいったとすれば、これはこれで恐ろしい話だという感じもします。

白井　いわゆる錦旗革命論、天皇を戴いた革命ということです。二・二六のときには内容的にはかなり社会主義にも接近するわけです。ですから、北一輝などはそこを明瞭に意識し、彼自身の国家社会主義的な構想を実現するために、青年将校たちといろいろな形で組むわけです。

高瀬　そう考えると、この『日本のいちばん長い日』を読んでいくだけでも、ここだけでは終わらず、二・二六事件や、その前の段階の話にもつながってくる。為政者、思想家の人たちが天皇というものをどう考え、それをどう政治的に利用しようとしているか、非常に恐ろしい地下水脈のようなものが流れているようにも思えます。

白井　天皇制の中にある、天皇制を覆すようなものが、南朝的なものの観念です。

高瀬　平泉澄について言えば、面白いエピソードがあります。『対論 昭和天皇』（文春新書）という本があって、天皇の問題に詳しい原武史さんとノンフィクション作家の保阪正康さんが対談している中に、次のようなことが書いてあります。実は二・二六事件のときに昭和天皇の弟君の秩父宮が青森県弘前市の連隊にいた。二・二六事件が発生し、東京に帰ることになる。普通、東北本線に出て真っ直ぐ帰ってくれば済む話なのに、羽越本線と信越線、上越本線を乗り継いで、迂回するように東京に帰ってくるという行動を取った。そのときに、平泉澄さんが途中から乗り込んで、しばらくの間どうやら秩父宮と話をしていたようだというのです。

何を話したのか、その後それがどういう影響を与えたのかはわかりませんが、右派の平泉さんと秩父宮が会ったということが一つの大きなポイントで、秩父宮と昭和天皇はもちろん兄弟ですが、母親である貞明皇后は秩父宮のほうがウマが合い、昭和天皇と距離があった。つまり、皇統の歪みがある中であの事件が起きたときに秩父宮に会いに行ったというエピソードで、何が話し合われたのか気になります。平泉さんというのは独特な人物ですね。

白井　私は、非常にポリティカルな人だったのだと思います。ですから、そこですごく気になるのが戦後の平泉の話です。彼は敗戦を迎えて東京帝大教授を辞し、福井県の郷里に帰ります。もともと神社の神主の家の方なので、そこに戻って「自分はもう終わった人間だ」という感じで隠遁する。公職追放処分も受けています。

ところが、弟子たちや弟子だと称する人たちが引きも切らず訪れ、「先生がこんなところにずっと引っ込んでいらっしゃるのはよくない。戦後日本をどうやって立て直していくかというときに、先生のお力が必要です」といったようなことを言い、機運が盛り上がってきた。それで1950年代にはすでに平泉は東京に戻ってきます。戻ってきて東京の銀座に事務所を構え、政治家や財界といったいわゆるエスタブリッシュメントの人たちの精神的な指導者というか、指南役のようなことをやるようになっていくわけです。

「この人たちの生き方は何なんだろう……」と思うわけです。陽明学者の安岡正篤なども似たようなポジショニングなのですが、要するに、戦前あれだけ国粋主義、軍国主義の旗振り役を知的側面からサポートしていって、国が壊れてあれだけの人が死んだ。「戦後、あなた方はどうやって生きていくんですか？　生きていていいんですか？」という問いがまずあるはずですが、どうもそれが見えない。

結局、逆コースでアメリカに免罪してもらい、アメリカの庇護下で復活する保守支配層と交流して、金をもらって生きていくわけでしょう。

高瀬　白井さんがおっしゃっている「永続敗戦論」の中の一人ですね。

白井　戦後の平泉が、東大の先生でもないのに都心の一等地に事務所を構えられるのは謎なのです。「どこからお金が出ているのか？」という話です。本当に気持ちが悪い。

政治性のセンスに長けていた昭和天皇

高瀬　いずれにしても、昭和天皇は戦争を始めるときも盤石ではなかったわけです。いろいろ危機感を持っていた。国体の危うさも感じていて、その意味で開戦を拒否できなかったことを悔いているところがある。それが『昭和天皇独白録』という本の中に出てきます。

「私が若し開戦の決定に対して『ベトー』したとしよう。国内は必ず大内乱となり、私の信頼する周囲の者は殺され、私の生命も保証出来ない、それは良いとしても結局狂暴な戦争が展開され、今次の戦争に数倍する悲惨事が行はれ、果ては終戦も出来兼ねる始末となり、日本は亡びる事になつ〔た〕であらうと思ふ」

ベトーとは、拒否という意味です。白井さんが『国体論』の中でも紹介されていましたが、天皇制は盤石なように見えて、実は天皇そのものが「そんなものではない」と感じている。これはまた興味深いところです。

白井　『昭和天皇独白録』という書物の基になった昭和天皇の証言が、いったいどういう歴史的文脈で成立したものかに関しては割と明確になっていて、要するに連合国、とりわけマッカーサーに対して弁明する性格を持ったものだったわけです。「自分に責任はない。どうしようもなかった」という言い訳に過ぎないという厳しい見方もあります。

もちろん弁明という性格を持つことも間違いないですが、そこに一片の真実もないかというと、そうではないと私は思うんです。

そこで言っていることは、確かにある程度、実態に即しているところがあると思います。やはり、ここで昭和天皇が念頭に置いているのは二・二六事件だったと思います。二・二六事件で感じた恐怖というものがあり、その後、日中戦争が泥沼化し、太平洋戦争になっていくわけですが、「戦争の拡大を拒んでいたらどうなっていたであろうか。対米英開戦を断じて許さぬとやっていたらどうなったであろうか。たぶん、押し込められていたであろう」というふうに言っているわけです。それはその通りなのではないかと思われるところは確かにあります。そうなっていたら、その後の戦争指導はどうなっていただろうかというと、45年8月でも降伏できずに、本土決戦ということになってもっとひどいことになっていただろうというのは、客観的状況の分析として当たっているところがあると思います。

しかし先ほど言ったように、そんなことをやったら全土が沖縄化することですから、本当に悲惨の極みなわけですが、それによって失ったものもあるということを考えないと、なぜ日本の民主主義、あるいは日本の社会全体がこれだけの腐敗と閉塞と無気力に落ち込んでいるのかということがわからないと思います。

高瀬　そうすると天皇は、これだけ破壊された国土をそのまま見すごしておくわけにはいかない。いろいろあるかもしれないけれど、ここでやめようじゃないかと言う。それに対して「いや、国体とはそんなものではない」と畑中少佐らが反発していく。この後、とんでもないことが起きるわけですが、天皇はいったい国体をどう考えていたのかというところに疑問が行くわけです。昭和天皇は、非常に政治的な人だったのではないかと思うのですが……。

白井　政治家としては、ある側面では一流と言ってもいいくらいではないかと思います。

高瀬　畑中少佐の言うような国体を天皇が絶対に守るとなったら、天皇のご聖断でこんなことにはならないですよね。

白井　調整型の政治家としては、非常にレベルが高かったのではないですか。というのは、五・一五事件や二・二六事件が起きたけれど、自分がやられてしまうというところまでは行かずに何とかとどめて、いよいよ戦争をやめなければいけないという状況下でも、何とかやめる方向にもっていき、今度はマッカーサーと対峙することになります。ここでも一つ足を踏み外していれば、マッカーサーも守りきれないという流れになりかねませんでしたが、そこも見事にしのいでいった。

高瀬　この『日本のいちばん長い日』をお書きになった半藤一利さんや保阪正康さん、原武史さんにいろいろと話をうかがったことがありますが、皆さん異口同音におっしゃるのが昭和天皇の政治力、政治性のセンスの高さです。

　ところが、それが畑中少佐にはわからない。というか後にはすごい事件を起こすわけです。近衛師団司令部に行き、師団長を殺害する。日本刀で斬り付け、拳銃も撃つ。そして、嘘の近衛師団命令を出して、とにかく主力部隊を出して皇居付近を守る。東京の放送局（NHK）を占領し、玉音放送をさせないということをやる。それから二重橋前、宮城外周を遮断すべしとエスカレートしていく。ご聖断などは聞く気がない。そんな中で阿南陸軍大臣は「もうこれで終わりだ」と覚悟を決め、8月15日の早朝に割腹自殺をする。

このへんの動きは凄まじいものがあります。私は昭和30年生まれですが、私が生まれるわずか10年前にこんなことがあったのかと思うとゾッとします。確かに畑中少佐の純化した考えが、白井さんの考え方から言ったら、拒絶して終わりという話ではないということですが、非常に恐ろしいものもある。

白井 結局、宮城事件が不発に終わり、その問題が長く今日まで続いていると思います。主体的な抵抗というものがそこで挫折する。そして、それが戦後どういった形で引き継がれるかというと、対占領軍の闘争なんです。そのときに、占領軍に対する最大の敵対者になったのは共産党です。

共産党は最初、占領軍の性格を解放軍と規定してしまって見誤るわけですが、いわゆる逆コースがあらわになっていく中で、自分たちは彼らにとって完全に敵でしかないということを自覚させられる。そして、いわゆるコミンフォルム批判もあって、五全協（第五回全国協議会）で武装闘争路線を採択してしまう。そこから山村工作隊などの実力闘争をやります。これは散々な失敗に終わりますが、興味深いことに、そこにその後大活躍をする名立たる人たちが参加している。SF作家になった小松左京、劇作家になった山崎正和、後に歴史学者になる網野善彦。建築家の磯崎新もちょっと関わっていたという話もあるらしいです。要するにあれは、やり損なった本土決戦をやることだったわけじゃないですか。そこに参加して挫折した人たちは、言ってみれば実は戦後の日本文化の柱を背負っていくことになるんです。

高瀬　結局、昭和天皇はそこをうまくまとめていく。一方で、畑中少佐らは失敗して最後は自決して終わり、玉音放送は無事に放送されることになった。昭和天皇は生き残り、形としての国体も生き残る。しかし、何か肝心なものがそこで失われる。そういうことになっていくわけですか……。

白井　そうなんです。なぜ、日本人はこんなに日米安保体制を信頼し、容認したのか……。容認するどころではない。愛しているわけです。

高瀬　何か骨がらみになっているような感じですね。

白井　そうです。アメリカというのはありがたいものなんだ、すばらしいんだと。なぜ、そのような思い込みが持てるのかと言ったら、やはり天皇を救ってくれたから、国体を護持してくれたからです。

　でも、国体とは何なのかといったら、その言葉自体死んでしまって、わけがわからなくなっている。だから、いつの間にか、事実上国体の頂点にいるのがアメリカという事態になっているのに気づくことすらできなくなっている。

高瀬　なるほど。そして、指導者層が中心ですが、本来戦前の日本人が守ろうとした国体の中心にいた天皇および天皇制はしっかり残っている。結局、昭和天皇はその後も生き残りましたし、天皇制は今も続いている。だけど、肝心なものは抜けている。これはどう考えればいいのでしょう。結局、昭和天皇はうまく切り抜けたなと……。

白井　切り抜けましたが、その代償はものすごく大きかったんだということを、今私たちは目撃しているのではないですか。今の上皇陛下、前の天皇陛下、皇后陛下もそうでしたが、安倍政権に対して牽制をする言動を重ねてきた。しかし、そのことに気づいた国民がどれくらいいたかという話です。ごくわずかですよね。私たちはこういう仕事をしているので、そこは敏感に反応しましたが、大半の国民はそんなことを気にしていない。

その一方で、安倍さんが病気で辞めると言ったら、「頑張ってくれたんだなあ、ありがたいな」と。そして、こういう形で亡くなったら、「花を添えなければ」「国葬をしなければ」と言っている人たちが国民の半分くらいいるわけです。こんなに国を滅茶苦茶にした人なのに、いったい日本人にとっての精神的権威ってどこにあるのかと思いたくなります。

高瀬　非常にのっぺりしたものになってしまいましたね。精神性といったものが失われたということですか？　1970年に三島由紀夫の自決事件がありました。それもいろいろと解釈があり、今でも映画やテレビ等で取り上げられたりして解釈が出続けていますが、三島が日本の中から失われていくものがあると言っています。そこともつながってくるんでしょうか……。

戦後の統治構造が保たなくなってきている

白井　国体護持は実質的にはどんな形で実現されたかといえば、外形的には天皇が訴追されなかった、退位すらしなかったから元号も変わらなかった。そして象徴天皇制という形で再編成されましたが、象徴天皇制という形の政治性を持たない天皇というポジションは、天皇制全体の歴史から考えると、割にいいというかジャストな位置だと解釈することも可能なわけです。そもそも、権力はないが権威はある、権威しかないというポジショニングなので、言ってみれば元鞘（もとさや）に収まったと。幕末、明治時代から敗戦までが異常なポジショニングだったので、「あれは間違いだった。これでよかった」と。

そうやって、整合的に解釈できてしまうわけですが、いろいろな意味で虫がよすぎた。

高瀬　なるほど。それがこの10年間くらい、安倍政権下以降で特に噴き出してきました。「これはいったいどうなっているんだ」という政治状況は、戦後の出発のところとつながっているのではないかということですね。

白井　そうですね。結局、逆コースのようなものが可能になっていく。そもそも、歴史の舞台裏で逆コースを主導した人物の一人が昭和天皇だったという話もあります。豊下楢彦先生などのものすごい研究によって解明されたことですが、天皇は、今度は脅威は共産主義であると。今まで気の狂った軍人によって引きずり回されて身が危うくなる瞬間もあったが、これからいよいよ危険なのは共産主義だということで、共産主義から自分を守ってくれる存在として、今度はアメリカに依存するということになっていく。そうしてアメリカへの従属を正当化していく。すると、敗戦ということがあいまいにされねばならなくなってくる。まさに、アメリカに従属しているというのは敗戦の結果にほかならないわけですから。

そういう中で、いったん国を潰した張本人たちが、今度はアメリカの息がかかった人たちとして、岸信介を筆頭に復権していった。そのようにして戦後日本の統治構造の骨格が形作られていくということになる。

高瀬　そこに、今出てきている統一教会問題もあるわけです。それだけですべてを決めつける気はありませんが、統一教会のような怪しげな団体が入り込み、想像以上に政権の中に巣食ってしまっているところまできてしまった。

冒頭お話をしたように、「明治維新77年・戦後77年」。ちょうど同じ時間量の時期になり、白井さんがある意味予言したような感じになっている。では、この日本をどうするか。

明治維新から77年の日本に戻すと言っても無理だし、全然いいとも思えない。ではどうするのかといった問題が突きつけられています。どう考えますか？

白井　戦後の国体のような統治構造が保たなくなってきているということは、私の目から見るととっくに証明されており、ますます明白に証明されつつある。

例えば、私の著書『長期腐敗体制』の中では、「統治の崩壊」が一つのキーワードになっていますが、執筆時点ではコロナ対策が一つの象徴でした。2年間やって進歩なしとはどういうことか。備えがあったわけではないので、最初はいろいろ間違いがあったのは仕方がないですが、次第に経験を積んできて、「こうしなければいけない」ということがわかってくる。各国とも体制を進化させているが、日本はそもそも間違った対処をした人たち、そして間違った対処しかできない人たちを刷新できない。だから、延々と同じ間違いを繰り返す。これは統治が崩壊していると、私は言ったわけです。今はさらに目にもあらわな形で出ているのが、安倍さんがあのような形で殺され、なぜ二之湯(にのゆ)智(さとし)国家公安委員長がそのままいるのか。

高瀬　しかも、統一教会と関係していたにもかかわらず、「どういう団体だったか私は知らない」と驚天動地の発言をした。

白井　しかも、「2010年以降、被害届が出ていない」と。警視庁が即座に「被害届は出ているが、検挙がない」と訂正をした。しかも、それはもっといけない話で、被害届は出ているが、検挙はしていないと……。

高瀬　できなかったのか、しなかったのか。行くところまで行っているというか、さらにひどくなるのかもしれませんが、いずれにしても日本は、象徴天皇制で天皇を戴いて、政治は議会制でやっていくしかないわけです。

そのときに天皇というもの、天皇制というものも含めて、国づくりをどうやっていくかということを議論していかないといけないと思います。

白井　現状、国家として体をなしていないところまで来てしまいました。今の二之湯さんが辞めないという話も、あり得ない状況になっている。

高瀬　では日本を共和制にできるかと言ったら、できない。現実的に難しい。

白井　やはり、この戦後の国体の終焉がどういう形でくるのかということだと思います。戦前の国体は、全国が焦土になって核爆弾を落とされるという形で終わりましたが、そのアナロジーで考えると、外の力によって強制終了させられるというのは一つのあり得る形です。私たちが内側から変えることができなければ、たぶん外から強制終了させられることになると思います。

高瀬　日本の近現代を見ていると、幕府が古びて幕末もいろいろと混乱が生じ始めていた。そのとき、アメリカのペリーがやってきたことに対して、内側からの圧力が呼応していきます。それで、あっという間に幕府がひっくり返っていく。戦争が終わるときもそうでした。そういうのを見ていると、日本は何らかの外圧が関わってきたときに一気に変わる可能性があるのだろうと思います。では、外圧は何かと言ったら、今のところ、まだよくわからない。

白井　いや、私は端的に言って、米中戦争だと思います。

高瀬　今、少しきな臭くなりつつありますが、そのときに、今の日本の中の混乱のようなものが呼応していくというか、どういうふうになるかはわかりません。そこが反応する可能性があるかという感じですね。

白井　要するに、いわゆる親米保守支配層が何を考えているのかと言ったら、それは明白、明快だと思います。いわゆる戦後の国体を守り抜くためだったら、どんな犠牲が出てもかまわない、どんな苦しみを国民が背負ってもかまわないという人たちですから、そのようにふるまうんだろうと思います。米中戦争も彼らの権力維持にとって必要ならばウェルカムです。それは正確には米中戦争ではなく日中戦争になる。

高瀬　そういうことになりかねません。あまり考えたくないことです。でも頭の隅に入れておかなければならないような状況になりつつあるということなんでしょうかね。

玉音放送を原文で読んでみるべき

高瀬　ここでは『日本のいちばん長い日』という本を中心に話をしてきました。２０２２年に発売されたものはコミックです。描かれている内容は15日のポツダム宣言受諾、そして玉音放送へ向かっていく一日で、これを俯瞰しただけでもとんでもないことが起きたことがよくわかります。これは簡単な話ではない。非常に入り組んだ話でもあります。

そして、戦前、戦中が終わり戦後になった。つい過去の話として考えてしまいがちですが、決して終わった話ではなく、思想・考え方のようなものは残っているし、地下水脈のように流れ続けているのかもしれません。また、それがどのように新たな状況につながっていくのかということまで考えなければいけないのかもしれません。そういう意味でも8月15日は決して過去の話にしてはいけないと痛感します。

玉音放送については、現代語訳もあります。白井さんはそれを読んで感じることはありますか?

白井　できれば原文、漢字とカタカナのあの文体で、これまで親しみのない人も読んでみるべきだと思います。というのは、とても重要なことですが、大日本帝国が終焉したことによって、同時に実は一つの言語空間が失われました。漢字とカタカナのあの文体が表現している世界がありましたが、それが丸ごと失われたのです。

占領期に吉田満の『戦艦大和ノ最期』が検閲を受けたわけですが、実は検閲された最大の問題は文体でした。あの作品は戦後の世界で戦前の漢字とカタカナの文体で書かれた。そのことが、言ってみれば、戦後民主主義の世界から見ると抑圧されるべきものだったということですが、一つの世界が失われたということです。そのことを私たちは忘れがちになってしまう。ですから、先ほどの畑中少佐たちの試みは今日の目から見ると明らかに狂っていますが、その狂気がどういった内在論理でもって出てくるのかということを想像するためには、昔の文体を少しは体で摂取しないとわからないと思います。

高瀬　一度読み上げてみるといいかもしれません。内容を読むと、日本が戦争をやめることによって、世界の太平を開くという趣旨のことが書いてあり、そこには敗戦という感じがほとんどありません。「私たちがやめるから世界の太平が来る」ということが書かれてあります。改めて読むと、この内容はすごいな、といろいろなことを考えさせられます。皆さんがそれぞれお読みになれば、昭和天皇がどのように戦後を生き抜いていったのかを読みとれるのではないでしょうか。

7

戦中・戦後を貫く岸信介とアジアの蜜月

統一教会問題の源流

統一教会の政治力の高さを窺わせる「日韓トンネル構想」

高瀬　安倍元総理大臣が銃撃されて亡くなって以降に起こったことで特筆すべきなのは、旧統一教会と自民党を中心とした政治の癒着が表に暴き出されてきたこと。それと、戦後日本の政治の裏面史、言い換えればまさしく日本の正体だと思いますが、その一端が広く国民に知られるようになったこと。これは初めてではないかと思います。

白井　そうですね。昨今盛んに言われ、問題視されているのは、選挙で票を回してもらった、霊感商法を守ってもらっていたのではないか、秘書を送られて云々（うんぬん）といったことですが、遡って見ていくと、それだけではないというか、ずっと根深い問題であるということです。

これから、岸信介がどのような役割を果たしたのか、児玉誉士夫や笹川良一は何者だったのかという話をしていくことになりますが、要するにこれは終戦直後から戦後日本の国の形を決めていった政策、すなわち逆コースと深く関わります。逆コース政策の中の一帰結というか、あるいは逆コース政策という大枠を歴史的起源として統一教会の日本進出、保守政界との癒着が起きたと考えざるを得ません。

私はこの10年ほど、戦後日本の国のあり方を決めたものは何であるか、それは逆コースであると言っています。結局、今日に至るまでこの逆コースが基本形を作っていると、著書ではもちろん、学校での授業やいろいろなところで散々言ってきましたが、統一教会の問題もその中に含まれるということを実感しています。

高瀬　白井さんも含めて、戦後史の研究者の方たちも、ここまで統一教会が影響を与えていたということを、おそらく今回知ってびっくりしているというところがあると思います。想像を超えていたというか。

白井　はい、そのあたりは研究者として残念ながら注意が行き届かなかった、無知だったと思います。やはり世代的な記憶としては90年代に合同結婚式や霊感商法が有名になり、悪名が高くなったことは子どものときの鮮烈な記憶として覚えていたわけですけれど、問題はそれ以降のことですね。長く追及し続けてきた有田芳生さんなどは「空白の30年間」などとおっしゃっています。安倍政権になってからは日本会議が有名ですが、宗教右派全般が活性化してきて、新安保法制のときにSEALDs（シールズ）の運動に対抗する形で勝共UNITE（ユナイト）なる一群の青年たちが現れ、安倍政権の政策は正しいとアピールする一幕があった。あのときに「勝共連合はまだやっていたんだ」と思いました。

高瀬　今回、タイトルを「戦中・戦後を貫く岸信介とアジアの蜜月」としました。アジアとの関係、右派の代表格ということで岸信介が欠かせないからです。

統一教会の問題自体も非常に深刻ではありますが、戦前・戦中の日本とアジアの関係という非常に大きな絵柄を頭に描きながらとらえていくと、戦後の逆コースも違って見えてくるでしょうし、今回の話の中心はそこにあると私は考えています。

この章では問題の根っこ、背景にあるものを探っていきたいと思います。統一教会の問題ではいろいろと出てきました。やはり象徴的だと思ったのは「日韓トンネル構想」です。いろいろ知っていくとバカげているところがあります。でもそれだけでは片づけられない問題を含んでいる気もします。

日韓トンネルとはどういう構想かと言うと、日本と韓国を海底トンネルで結ぶ計画で、そこに高速列車を走らせる。テレビなどでも伝えられています。文鮮明（ムンソンミョン）氏が1981年にソウルで開かれた国際会議で提唱したのが始まりだったということです。

文言があるので、読んでみます。

「私は一つ提案をしたいと思います。それは中国から韓国を通り日本に至る『大アジアハイウェイ』を建設し、ゆくゆくは、全世界に通じる『自由圏大ハイウェイ』を建設することです。これは中国大陸から韓半島を縦断し、トンネルあるいは鉄橋で日本列島に連結して日本を縦断する一大国際ハイウェイで、ここでは自由が保証されるのです。もしこれが建設されるなら、アジア諸国はハイウェイで連結され、一体化することになります」

これを読んでどうですか？

白井　とてつもないというか、今回統一教会の問題が燃え盛る中でちょっとびっくりしたのは、勝共連合をはじめとしたいわゆる統一教会のダミー団体、関連団体が数えきれないほどありますが、その一覧表を見ていたら「日韓トンネル推進」が出てきました。
　こんな夢みたいな話があるらしいことは知っていましたが、実は統一教会絡みだった。これにはかなり驚きました。

高瀬　文鮮明氏がこの話をしたあと、1982年に「国際ハイウェイ建設事業団」が結成され、会長に統一教会初代会長の久保木修己が就任します。そして、日韓トンネル研究会が83年に創設、というふうにつながっていく。
　トンネル計画の概要も改めてきちんと見ておきたいんですが、佐賀県の唐津市から壱岐・対馬、韓国の釜山と、古代史で言うと卑弥呼の時代、中国の魏から使者が来たときに、確かこの逆コースのような形でやってきています。総延長が270km、乗物が高速列車、貨物列車、カートレインなど。建設期間が10年、総工費10兆円。1986年から工事を始め、当時10兆円というものすごい予算を考えていたわけですが、結局めどが立たない。当たり前という気がします。ここも壮大というか大風呂敷ぶりはすごいですね。

白井　素朴な疑問として、土木工学的にどうなんでしょうか。

高瀬　難しいのではないでしょうか。おそらく、世界にこれだけの長さのトンネルはないですよね。

白井　水深が相当深い。

高瀬　水深が深いです。ですから、本当にそういうことまで調べたうえで言っているのか。とにかくこういう大風呂敷を広げて、お金を集める名目にしたのではないかというような気すらします。

実はこれが霊感商法の正当化の材料に使われていたということで、『朝日ジャーナル』が1988年5月に報道しています。被害者の証言では、日韓トンネルなどは有益なものとして使われると聞かされていたと。1986年10月1日に起工式を行ない、日本の議員の人たちが何名もこの計画に賛同し、名前を寄せています。1990年5月に、当時の盧泰愚(ノテウ)大統領が訪日して、国会演説の最後で日韓トンネルに言及してもいます。その晩餐会で、当時の海部俊樹首相がこの日韓トンネルに賛成の意を示し、「同じ気持ちだ」と言った。リップサービスにしろ、トンネルに言及しているわけです。

白井 中曽根さんが起工式に自民党総裁として祝電を送ったとか、盧泰愚大統領がこういう発言をして海部さんがそれに同調するというあたりも、統一教会の相当の政治力の高さを窺わせます。

統一教会のナショナリズムの根幹は日本に対する復讐

高瀬 現在、カルトと言われている旧統一教会なわけですが、どうしてこれらのことができたのか、これから説明していこうと思います。

白井　非常に重要なことだと思うんですが、昨今、テレビのワイドショーなども含めて統一教会の情報が大洪水のように流れていて、一番強く受ける印象は「変な人たちだな」ということです。お金の集め方もえげつないですが、ものすごく荒唐無稽なことを言っている。祖先が地獄で苦しんでいて……、といったことも言っています。

高瀬　先祖解怨で恨みを解く。

白井　そうです。ご先祖様が地獄のドアを開けて脱出しようとしているけれどもドアが開かない。このドアを開けてもらうためにはお金が必要で、お金を払いなさいというようなことをやっている。「こんな話に騙される人がいるんですか。変な人たちだね」という感じになっていますが、それは統一教会の一面であってももう一面は韓国の政界、日本の政界、そしてさらにアメリカでもかなり高度な政治力を行使してきた団体であるということです。その二面性というか、多面性を押さえる必要があると思います。

高瀬　非常にしたたかというか、政治力を持った団体だと言えると思います。日韓トンネルでとても興味深いのは、戦前にも同じような経過があったことです。私も改めて最近のテレビで見て、この日韓トンネル構想というのは昔の弾丸列車と同じだなと。どういうことかと言うと、真珠湾攻撃の半年くらい前、１９４１年６月４日の朝日新聞の記事に、当時の鉄道省の技師へのインタビューが掲載されています。唐津、壱岐・対馬、釜山を結ぶ計画があるんだと。これは「新隧道（しんずいどう）」計画と呼ばれていたようです。海底１５０ｍ、時速２００㎞と書いてありました。この構想は弾丸列車計画といい、戦後は形を変え、１９６４年に開通した日本の新幹線計画として実現します。東京から満州の新京まで30時間で行けるというものでした。つまり、日韓をつないで朝鮮半島のさらに先の満州へつなげていくと。当時の日本人の考えることは荒唐無稽かもしれないし、壮大とも言えるわけですが、これを見ていて思ったのは、昔は朝鮮半島支配や中国侵略など、日本側から向こうにベクトルが向かっていたわけですが、文鮮明の話を聞くと今度は向こう側から仕掛けてくるというような話になっています。何か歴史の意趣返しをされているような気が少ししたのですがどう思いますか？

白井 そこはなかなか難しいところですが、一方で非常にはっきりしているところは統一教会の理念の中核部分にあるのは朝鮮民族のナショナリズムであり、そのナショナリズムにはいろいろな性格のものがありますが、統一教会のナショナリズムの根幹にはやはり日本に対する復讐の念があるのだろうと思います。

聞くところによると、韓国やアメリカでは、少し変だと思われているくらいで、統一教会の評判はそこまで悪くない。なぜかと言うと、日本で行なわれているようなとんでもない集金活動をしていないからだと。一方でものすごい政界工作を行なっていて、大変なお金も使っている。いったいそのお金はどこから来たのか。７割、８割は日本からだと言われています。

高瀬 日本の信者から奪っているということですね。

白井 それは本当に容赦なきものであって、これがサタンと神の戦いがどうのこうのという理屈で正当化されているわけですが、その根底には「日本人からはいくら奪ってもいい、いくらでも奪うべきだ、奪えるだけ奪うべきだ」という強烈な復讐心があります。

高瀬　過去の日本の朝鮮半島支配に対してですね。昨今では、徴用工問題でも「韓国は何を言っているんだ」と反発し歴史をねじ曲げたり、修正したりすることで溜飲を下げている人たちもいます。世論としてもそういう空気感があり、あまり韓国と話したくないと。しかし、向こう側は忘れていません。このギャップは非常に深刻な問題で、日本人が気がつかない、あるいは目を背けているところにしっかりと入ってきている。そんな感じもします。

白井　ですから、それによって生じてきた最大のアイロニーは何であったかというと、実は統一教会はあれだけ「勝共だ」と反共主義を言っていたのに、突然、反共主義を捨ててしまうわけです。

1991年だと思いますが、文鮮明、金日成（キムイルソン）の電撃会談が実現します。文鮮明の勘のよさと言うか政治手腕の高さが窺えると思いますが、要するに冷戦はもう崩壊してきていると。そうなってくると、ゆくゆくは朝鮮半島の統一も視野に入ってくるだろう……、と。それなら、統一の動きが起きたときに誰が一番利益を上げることができるのか。それは最初にその問題に突っ込んでいった者だということです。ですから、先鞭をつけるということで進出していく。その後の北朝鮮と韓国の関係は、一時的には良好になって経済協力が進んだり、一時的にはまた鋭い対立になったりというようなことがずっと繰り返されなかなか安定しないわけですが、その中でも北朝鮮の政権と統一教会の関係は長い間一度も悪化していないというのです。

高瀬　そうですね。朝鮮戦争が休戦して非常に緊迫しているラインではあるけれど、あれから一度も戦争が再開されていない。

白井　統一教会は、北朝鮮に多額の投資をしている。ですから端的に言うとお金なんです。要するに北朝鮮の労働党政権からすると最高のパートナーですから……。

高瀬　そして、そこにお金をつぎ込んでいるのがどこかと言ったら日本だと。

白井　そうなんですよ。出所をたどっていけば、それはむしられた日本の信者なんです。

高瀬　そういうことですね。

白井　1991年から現在に至るまでに数千億円は行っているのではないかと言われています。では、そのお金で北朝鮮は何をやっているのか。もちろん、いろいろなことをやっているわけですが、その中には核兵器とミサイルの開発があるわけです。北朝鮮は、日本に対しても敵だということで「お前らもアメリカと一緒に吹き飛ばされたいのか」という形で意思を突きつけてきているわけです。そうすると、日本ではJアラートを鳴らして「大変だ、大変だ」と大騒ぎをしているわけですが、これほど滑稽な話がありますか。安倍さんは「異次元の圧力を……」などと言っていたわけですが、その北朝鮮が打つぞと言っている核ミサイルは、安倍さんが一生懸命守ってきた統一教会が日本人からむしり取ったお金で開発されていましたという話です。

日本進出に影響を与えた岸・児玉・笹川

高瀬　安倍晋三はどう考えていたのかと思いますが、これらの状況のもともとの出発点を作ったのが岸元首相であり、児玉誉士夫、それから笹川良一。この3人が統一教会、勝共連合の日本進出に大きな影響を与えました。実力者というか、これ以上の役者はいないだろうと思います。
　しかも、彼らはいずれも戦前から右派あるいは右翼として大きな金を動かし、A級戦犯として戦後、巣鴨プリズンに収監されたわけです。釈放されたのが１９４８年12月24日、クリスマス・イブだった。私は細かい日程を知らなかったんですが、今回調べて「あっ！」と思ったのは3人が同じ日に釈放されていたのですね。その前の日に、東条英機ら7人が絞首刑になっています。
白井　12月23日。なぜこの日なんだろうと。これは、平成時代の天皇誕生日です。当時にあっては皇太子の誕生日です。だから、この日をわざわざ狙って死刑を執行したと。
　エピソードとして残っているのは、このときにさすがの昭和天皇も「天皇を辞めたい」と側近に漏らしたと言われています。
高瀬　そういう日ですよね。しかも、戦犯を処刑した翌日に、一つの時代が終わり、次の時代を用意するかのように3人を即釈放している。これはアメリカが本当に見せつけているという感じがしますが、3人とも戦前から朝鮮、中国、それから東南アジアとの関係が深い。3人は同時に統一教会の政治団体、国際勝共連合の設立に関わっていた。

政治の幅を広げ「政権交代可能な二大政党制」を目指した岸

高瀬　この中で、安倍元首相の祖父である岸元首相を軸に話をしていきたいと思います。巣鴨プリズンを出た後、1950年が重要な年の一つですね。岸は東京の渋谷区南平台に土地を購入します。この街には今でも大物政治家が住んでいます。隣は西郷隆盛の弟、従道の息子さんが所有していた土地だったということです。1952年にサンフランシスコ講和条約が発効し、岸はこのときからすでに「日本再建連盟」という一種の政治団体を作って始動する。これから先どうするかということを考えていたわけです。二大政党制を目論んでいたようです。面白いと思ったのは、岸は右派社会党に入党を打診しています。結局は断られたのですが、岸は政治の幅というか、社会主義的なところもある。

白井　ちょっとした気の迷いなどではなく、まじめな話としてこれを試みた。当時、三輪寿壮という政治家が右派社会党にいました。この人は弁護士で、東京裁判で岸の弁護人になった人でもあり、もともと東京帝大の同期で岸とは長い付き合いでした。

この人は国会議員としても有名ですが、もう一つ学術面で大きな業績がありました。それは何かというと、エドゥアルト・ベルンシュタイン、ドイツの戦前のいわゆる修正主義を唱えたマルクス主義者ですね。三輪は、この人の主著『社会主義の諸前提』を翻訳した人です。ベルンシュタインとは何者であったかというと、１９００年代あたりでドイツ社会民主党の中で非常に重要な論争、世に言う修正主義論争が起きる。どういう論争かというと、当時ドイツ社会民主党はその強力な労働組合を傘下に置いて、議会でも次第に議席を伸ばしていて、いよいよ権力が近づいてきているという雰囲気になってきたわけです。そこで、権力を取ったらどうするのだと……。何せマルクス主義の社会主義政党を名乗っているのだから、社会主義革命をやらなければいけない。「社会主義革命とは結局何をやるんだろう」というのがマルクス、エンゲルスの本を読んでいてもよくわからない。なかなか、そこからストレートに出てくるものではない。そういう中で、「結局、革命とは何だ」ということがよくわからなくなってくるんです。

当時のドイツのマルキストの代表的な理論家にカール・カウツキーという人がいましたが、カウツキーはやはりマルクス主義の本筋は暴力革命だから、いくら議会で権力を取ってということをやっても、生産手段の公有化、国有化などを進めていこうとしたら、資本家は猛烈に抵抗するでしょう、と。その抵抗を結局暴力によって粉砕しなければならないということを言います。

それに対してベルンシュタインという人は何を言ったかというと、「結局なんだかんだ言ってよくわからないじゃないか」と。だから、革命という標語はよくわからないからやめるべきだと言った。それは空語に過ぎないと。大事なのは、一歩一歩労働者の権利を拡張して生活の向上を図り、地位を向上させることだと。「運動がすべてであって最終目標は無である」という有名なベルンシュタインの言葉がありますが、それでベルンシュタインは修正主義者と言われ、激しい論争になったんです。これがドイツにおける修正主義論争と呼ばれるものですが、その後の歴史の左派政党の展開を見ていくと、結局ベルンシュタインの言っていたことが先進国の左派政党、社会主義政党の事実上の根幹的な考え方になっていった。これは現在に至るまでそうだと言っていいでしょう。

当時の日本で修正主義といったら、基本的に本筋からはずれて、革命を諦めると言っているに等しい、非常に敗北主義的な考え方で、かなりバッドなニュアンスなんです。それで左派からは軽蔑を受けるような対象だったわけですが、三輪寿壮はたぶんシンパシーを持っていた。戦前の共産党はコミンテルンの支部としてあるわけですから、それこそソ連とがっちり組んで世界革命をやっていくという路線が社会主義者たちを惹きつけていたわけです。

高瀬　国際共産主義運動ですね。

白井　三輪は、そこから距離を取って社会主義を実現しようとする立場だった。要するに、岸はそういう立場に対してかなりのシンパシーを持っていたということです。

高瀬　岸は、反共主義者ではあるわけです。けれども、共産党に対抗するためにはウイングを広く取って二大政党制で進めていこうと。

白井　もう一つのキーワードが、まさに今おっしゃった二大政党制で、それこそ90年代に盛んに言われた「政権交代可能な二大政党制」のようなことを、岸はずっと先取りしてはるか以前に言っていたわけです。

政権交代が起こらないと、やはりいろいろ膿（うみ）が溜まってよくないと言っていた。ただしそのときに、政権を担いうる二つの政党があまりにもかけ離れた立場を取っていたら現実には政権交代できない。だから、ある程度、近くなければいけない。保守の左側は左翼と被り、左翼の右側は保守と被らなければならないというようなことを言っていたのです。三輪寿壮の話をしましたが、三輪は1956年に若くして亡くなってしまう。そのときに岸が弔辞を読んで、大変嘆いたと言われます。要するに、三輪を失ったことによって、自分が描く政権交代が可能であるような二大政党制ができなくなってしまうと。三輪のような人材が失われることによって、社会党はずっと左一辺倒になってしまう。そうすると、政権の受け渡しはできない。

高瀬　今の話を聞いていると、岸に対しては、60年安保のときに学生や労働者、そういう民主勢力とぶつかり合い、左側から見たら憎き存在で、「この野郎」と思うような政治家イメージがありますが、そんなことだけではわからないもっと非常に幅の広いものを持っているところがちらちら見える。

統一教会はＫＣＩＡとの関わり抜きに考えられない

高瀬　54年に韓国で統一教会が設立されます。朝鮮戦争が休戦してすぐです。このあたりも、一つの時代のキーポイントという感じがします。文鮮明はもともと北朝鮮生まれ。朝鮮戦争の混乱の中で南へ来たということで、やはり朝鮮戦争が大きな影響を与えています。

56年に岸が自宅の隣の屋敷を借り受けて、自宅兼迎賓館にする。つまり、自宅ともう一つ家を持ったわけです。57年2月25日に総理大臣に就任。59年に日本で統一教会を文鮮明氏が設立する。しかし、まだ日本では宗教団体として認証されていません。61年、韓国は朝鮮戦争の後、国力が非常に落ち込んでいました。経済がなかなか立ち上がらないという状況の中で、朴正熙（パクチョンヒ）が軍事クーデターを起こす。それで、ＫＣＩＡ（韓国中央情報部）を設立します。このＫＣＩＡの下で、統一教会は反共暴力組織としてどうやら勢力を拡大していったようです。それには縁があって、ＫＣＩＡの金鍾泌（キムジョンピル）部長と文鮮明氏が相互扶助関係にあったというふうに資料の中に出てきます。ＫＣＩＡと文鮮明氏がどうやらつながっている。

64年、統一教会が日本で宗教法人として認証されることになりますが、岸が隣の屋敷を返却し、その屋敷を統一教会が本部として利用する。この拠点づくりに、確実に岸は関わったということで、ここはポイントだと思います。

白井　そうですね。やはりただならぬ関係をうかがわせます。

高瀬　隣にそんな偶然来るわけがない。ここで、岸の政治力がたぶん影響しているであろうことは想像がつきます。65年、日韓基本条約締結。このときはもう岸は政権を離れていて、弟の佐藤栄作の時代でした。そのとき、日韓が国交回復し、日韓請求権協定が結ばれます。昨今、徴用工問題で揉めていますが、その問題の条約が締結される。

そして67年、本栖湖会談。勝共連合を日本に引き入れるという動きが出てくる。このとき、笹川良一が富士五湖の一つ、本栖湖畔に児玉誉士夫を呼びました。実際には児玉誉士夫は行かず、どうやら代理人が2人行っています。それから、文鮮明と日本の統一教会の初代会長、久保木修己を招いて、第一回アジア反共連盟結成準備会を開催しています。そして、勝共運動の日本受け入れの合意が成立するわけです。

68年、国際勝共連合が結成されます。ところで岸邸の隣にあった統一教会本部の土地は、西郷隆盛の弟、従道の次男が持っていた土地でした。それを１９６０年に女優の高峰三枝子さんが買ったのですが、68年に売却します。ここから統一教会は南平台から離れることになる。64年から68年の間、南平台に統一教会があったその期間に勝共連合を設立したり、日韓協定が結ばれたりしました。このあたりで韓国は軍事政権になる。岸は政権を離れていましたが、やはり隠然たる力を持ちたい。ここで何かあったなという感じがします。

白井　ここで確認しておきたいのですが、重要なのは、韓国の統一教会というのはKCIAとの密接な関わりを抜きにしては考えられないような組織なのではないかということです。KCIAというのは何者か。今はもう改組されて、KCIAという組織は存在しませんが、ある時代までは相当暴力的な謀略集団だったわけです。

高瀬　私が強烈な印象として記憶しているのは、当時韓国の野党指導者だった金大中（キムデジュン）さんが73年に東京・飯田橋のホテルグランドパレスから拉致された事件。私はちょうど東京の大学に進学して来たばっかりの18歳でしたが、「いったい何が起きたんだ？」と驚きました。そのとき、KCIAの存在が浮かび上がり、怖い暴力組織だという印象を持ちました。

白井　そうなんですよね。つい最近、私の先輩の在日韓国人から聞いたんですが、その先輩は学生時代に特定の党派には属していなかったものの、左翼界隈に出入りがあり時折デモや集会に行くこともあったというんですが、そのときに原理研、統一教会の連中が写真を撮りに来ると……。嫌がらせなんです。国籍は韓国人です。どんな嫌がらせかというと、これは80年代、90年代初頭の話だと思います。その韓国人が日本で左翼的な運動などをやっていることが韓国政府に知れると、日本における在留資格が危なくなる可能性がある。それで、嫌がらせをしてくるときに「自分たちのバックにはKCIAがいる」ということを連中は露骨にアピールしながらやってきたと言っていました。

高瀬　KCIAを背負っている、バックにいるということをちらつかせながら、行動してきた可能性は十分あります。KCIAとどうつながり、どんなことがあったのかいまだに表には出てきていないところがありますね。

白井　そうなんですよね。今の話も、90年前後ならすでにKCIAそのものはなくなっている。しかし、後継組織はあるわけです。そして韓国政治自体も、その間に民主化が進んだ。しかし、すべての機関が民主化されるわけではない。ですから、文在寅政権の後保守政権になり、文在寅が率いた勢力は野党になって、また野党と検察が激しい争いになっているというようなことが話題になっています。だから、当時のKCIAは形式上なくなってもKCIA的なものが韓国の保守政界、また保守的な治安権力や司法権力の中に残存し続けているのでしょう。それらとの闘いのようなものが、今も韓国の政治闘争の基底を成しているようです。

「朝鮮戦争」「対共産主義」「アメリカ」というキーワード

高瀬　KCIAが設立されたというところは一つのキーですね。この背景に、岸が果たした役割は非常に大きかったわけですけれど、統一教会の日本進出の便宜を図ったことが浮かび上がってくると思います。

この背景には、やはり日韓の問題が横たわっていたということです。1951年、朝鮮戦争の最中、アメリカの斡旋で日韓国交正常化交渉が開始されています。この本の冒頭で記しましたが、朝鮮戦争を背景にしたアメリカによる日本の逆コース政策が関わっている。ところが、当時から日韓双方は主張が対立していて物事がなかなかうまく進まない。

その中で、当時はまだ総理大臣ではなかった岸が、総理大臣になった頃に韓国との関係改善を急ぐわけです。岸の地元は山口県。当時、李承晩政権下、日本の漁船の拿捕、抑留が相次ぎました。60年代のことで、小学生だった私にも記憶にありますが、「また李承晩ラインを越えた」と、漁船拿捕のニュースがよく放送されていました。李承晩が一方的に設定したラインで、子どもの頃の記憶がありありと思い出されます。このとき、山口県の被害が非常に多かったのです。拿捕が327隻、抑留が3911人で、かなりの漁船が被害にあっていた。

これで岸は、日本が戦前、韓国に残した資産の補償を求める請求権の主張を撤回することを持ちかけた。日本からの強制退去処分を受けた韓国人の日本在留を認めるということで、かなり妥協をしていくことになる。57年12月に日韓共同コミュニケ発表。国交正常化交渉再開に道ができる。57年というのは、岸が首相になった年です。背景に、朝鮮戦争後の対共産主義を意識したアメリカの要請もあったとされるということで、そういう資料も残っているのですが、やはり「朝鮮戦争」「対共産主義」「アメリカ」というキーワードがここでも出てきますね。

白井　さらに1965年に成立する日韓基本条約に至る道という話になります。そこでのポイントは何か。日韓は51年から国交正常化交渉を始めます。その後、52年に日本はサンフランシスコ講和条約が発効し国家主権を取り戻したことになります。しかし、そこから実に13年もの間、韓国と国交が正常化していなかった。これは異常な長さですよね。

どう考えてもいやが応でも関係が深い距離にあるこの二つの国の間で、13年も基礎となる条約ができなかった。それは、揉めに揉めたからです。韓国の最初の大統領であった李承晩はアメリカで学んだ人であって、日本との関係は深くなかった。李承晩政権はあまり関係を持ちたくないんだというぐらいの感じで、日本に対して強硬にふるまい、交渉は進みませんでした。その後、韓国の政界もいろいろ変遷があり、朴正熙が出てきたところで潮目が変わってくる。そういう展開になります。

高瀬　そうですね。やはり軍事クーデターのところで、一つ大きく韓国が変わり、そして日本と韓国の中に岸が入り、アメリカを後ろ盾にしながら力を及ぼしつつ国交を回復していくという構図です。

白井　そうなんです。アメリカの存在が、ここで重要なキーになってくるわけです。結局、なかなか交渉が進まないこの期間にいったい何をやっていたのかというと、韓国の側は日本に対して、とにかく請求権や賠償に関して100%の要求をすることが筋だという方針を譲りませんでした。それに対して、日本政府は請求権などに冷淡な対応を崩さなかった。日本側が植民地時代に朝鮮半島に投資をし、日本人もたくさん住んでおり、財産も企業の資産もあったものを、基本的には敗戦の状況下で置いて帰ってきているわけです。ですから、それによって相殺されるというのが日本側の論理でした。

要するに、日韓相互の思惑によって交渉が硬直してにっちもさっちもいかなくなったわけです。アメリカとしては、「日本と韓国がずっと喧嘩していては困るんだ」と考えます。朝鮮戦争は一応休戦しましたが、あくまで休戦に過ぎないからです。

アメリカの対日姿勢も戦争直後には本当に厳しい賠償を科すべきであるという考えが優勢でした。要するに、韓国だけでなくアジアの多数の国に対して侵略戦争をして、大変甚大な被害を出したわけですから、そこは日本人がすっからかんになるまできっちり払わせるべきだという意見もありました。しかし、東西対立が険しくなっていく中で、あまり日本人を絞り上げるとまずいことになるという考えに転じます。これがまさに「逆コース」になるわけですが、アメリカの方針が変わります。

高瀬　そうですね。反共の砦にしなければならない。

白井　そうです。富ませようとします。そうした中で、「韓国は日本に対して妥協して交渉をしなさいよ」というプレッシャーがアメリカから韓国にかかっていくということです。

高瀬　大きな絵柄を見ると、やはりそこに東西対立があり、反共、対ソ連、中国の問題があります。その状況で韓国と日本が海峡を挟んで問題を解決せずにいても困ると。そこでアメリカが後ろから出てきます。このような時代背景の中に、まさに統一教会が「すっ」と日本に入ってきて発展していくというところですね。

白井　そうです。日韓、そして両国の上に立つアメリカという大局的構図の中で国交正常化が行なわれ、そこに利権の問題も関係して、という状況を背景として、後の統一教会の日本進出が行なわれたという複雑な経緯を理解するべきなのです。

経済協力という名の補償金が日韓の政治利権へと転化

高瀬　ここから日韓請求権協定に話を進めたいと思います。

まず、請求権協定に少し触れておくと、日本から巨額の資金が韓国に渡ります。当時の韓国の国家予算の2倍もの5億ドルの経済協力という形です。内訳は無償の援助が3億ドル、有償の援助が2億ドルでした。そこでは徴用工への補償も協定で解決したということになっていましたが、その後、不服とした元徴用工側が個人補償は別にできるということで、日本企業などを相手に訴訟を起こし、現在、揉めているのが実情です。

いずれにしても、莫大な経済協力という形での日韓の協力が始まったわけですが、この経済協力という名の補償金が日韓の政治利権へと転化する。車両や重機、それから工作機器を日本政府が企業から買い上げて韓国へ渡す。日本企業が、インフラなどを韓国に建設する。これは結局、日本企業の利益になっていくわけです。自分たちで出したお金が結局また戻ってくると……。

そのような形で、韓国は浮上してきます。この頃の韓国の経済成長が「漢江(ハンガン)の奇跡」と言われるものです。取引に日韓の政治家が介在して強い影響力を持つ「日韓協力委員会」の会長は岸でした。岸は87年に90歳で亡くなるまで会長をしていて、その後、福田赳夫(たけお)元首相、中曽根元首相に引き継がれる。やはり日本のいわゆる右派の政治家が絡んでいたということになります。

このような中で統一教会が密かにというか、いつの間にか日本の中に浸透し、いろいろな政治家との関係も深まってくる。かなり全貌が見えてくる感じがします。

白井 韓国は朴正熙政権になりますが、朴正熙という人はもともと日本の軍隊で教育を受けて、満州国の軍隊や日本の陸軍に勤めた経歴を持ち日本語が堪能でした。そういうわけで、日本側としては話のわかる相手だということになったわけです。

朴正熙のほうとしても、現実的な判断としてこの日韓基本条約と日韓請求権協定でできた枠組みを進めるしかないと考えた。要するに、日本に謝らせる、正式な形での賠償金を取るというのは、できるものならやりたいが無理であるという判断に至ります。結局、そこには国力の格差がありました。当時の韓国は非常に貧しい状況にあったわけです。

高瀬　北のほうがまだよいと言われたほどでした。

白井　そうなんです。何せ、朝鮮戦争がまたいつ再開してもおかしくないというような緊迫感のある時代ですから大変な恐怖です。北のほうが相対的に富んでいるということは、当然、戦争をしたら向こうのほうが強いのではないかという懸念もあるし、イデオロギーの問題もあったわけです。

こちらは資本主義で自由社会だと言っているけれど、少しも生活がよくならない。どうも社会主義の北朝鮮は豊かになっている……、そのような状況が続けば人心が掌握できなくなってきます。そういった危機感の中で、四の五の言わず名を捨てて実を取るべきだ。それがこのとき朴正煕が下した判断だったという評価に歴史的にはなると思います。

それで無償3億ドルに有償2億ドル、さらに借款（しゃっかん）などが日韓の間で取り決められたわけです。この枠組みの構造が後年のひも付きODAと言われるものとまったく同じなんです。要するに、韓国は受け取ったお金で工業化を図っていきましょうということになり、後にいわゆる「漢江の奇跡」と言われるような成功の土台を築くわけですが、工業化を進めると言っても、まだ自前ではできない。結局、いろいろなものを輸入して始めるほかありません。それをどこから輸入するかというと、日本の企業から輸入する。

高瀬　インフラを作るのも、日本の企業が行なう。

白井　そうやって日本の企業からもらった事実上の賠償金、名目は経済協力ということになっているわけですが、「経済協力という名目でなければダメだ」と日本がゴリ押しして、結局押し切ったということです。

高瀬　賠償という言葉だと、謝ったという感じになりますね。

白井　そうです。まさにそれを避けたかった。さらに、いったん渡したお金は日本企業への発注という形でまた戻ってくるという仕組み込みで、この協定ができていたという構図です。そうやって日本企業に戻ってきたお金の一部は、枠組みを作った政治家、つまり岸などにキックバックされるという仕組みです。

高瀬　ここで日韓の関係が非常に密になってくるということですね。

その際、岸が大きな影響を与えたわけですが、岸についてはたくさん本も出ていますし、資料もあります。それらを読んでいくと、やはり強いアジア志向があると改めて感じます。岸とアジアの関係を簡単に解説します。岸の経歴を見ると、東京帝国大学に進学しています。当時東京帝大の法学部の同級生に、後に著名な民法学者になる我妻栄がいて、一、二を争うほどの秀才だったということです。岸は大川周明の大アジア主義の影響を受けています。それから北一輝の『日本改造案原理大綱』などによる国家社会主義の影響を受けた。さらに教えを受けた先生として国粋主義の上杉慎吉。やはり東京帝大時代に岸の政治の方向性みたいなものがかなり固まっていったのだろうと思います。

国家統制型資本主義の時代になることが見えていた岸

高瀬　そして官僚になるわけですが、官僚として当時は大蔵省、内務省が二大官庁とされ、エリートでした。ところが岸は、このときに商工省、当時の農商務省を選ぶ。それが後に商工省と農林省に分かれるわけですが、これらは三流官庁と言われていました。ここで経済の畑を選んだところに、目端が利くというか、どうもこっちで活躍できると見たらしいということが資料には書いてあります。

農商務省に入ったことで１９３６年から39年にかけて満州国に派遣され、総務長次長として経営にあたる。ここで国家統制経済ということを岸は考えていたようです。

白井　これらを現在から総括すると、古典的自由主義の時代から国家統制型資本主義の時代になっていくという時代の趨勢について、どれほど意識的だったかはわかりませんが、結果的に、大蔵省に行かずに農商務省に行ったということは、岸にはそれが見えていたという解釈が可能です。

それはどういうことかというと、古典的自由主義において国家は経済に介入しないわけです。ですから基本的に大蔵省は徴税して国家予算を組みますが、経済活動がどのように行なわれるのかはあくまで経済主体がやることで、「我々は知らん」という話です。

時代が一変していくのは、世界大恐慌によってです。結局、「我々は知らん」と言っていてはどうしようもなくなったわけです。それでアメリカはニューディール政策に舵を切り、その手法が世界的に広まっていった。それを理論的に権威付けたのはジョン・メイナード・ケインズということになりましたが、それによって国家が経済に対して持つ役割が根本的に変わったわけです。

それまでは、基本的に国家は経済活動に干渉してはいけないというのが国の立場であったのが、国家が積極的に経済秩序を活性化させたり、動かしたりしていかなくてはいけないと常識が変わっていきます。そうすると、単にお金を集めて配分を決めるのが大蔵省なのだとするならば、実際に集めたお金を国家社会の発展のためにどのように使っていくかを考えるのが、今日で言えば経産省的な官庁であると……。これからは、そちらのほうが大事になっていくのではないかということを岸は直感的に感じたのでしょう。とはいえ、国家社会主義の北一輝の影響などを受けているわけだから、直感だけではないはずです。ただ面白いのは、北一輝の一方で、上杉慎吉からも非常に強い影響を受けています。上杉が有名なのは上杉憲法学で、美濃部達吉の天皇機関説と対決をした天皇主権説の憲法学です。北一輝は、天皇に関しては圧倒的に機関説なんです。

そこはなかなかの矛盾ですが、思想史的に見ると面白いところで、上杉慎吉は明治憲法は要するに神聖天皇だと解釈し、それ以外の解釈は許さないと言った人です。今から見ると少し頭がおかしいのではないかというような見方をされてしまいますが、やはり

す。上杉は、第一次世界大戦のときのヨーロッパ、ドイツに留学して社会状況を見ていま
とりがどれだけ愛国心を持って頑張れるかというところが、結局、戦争の帰趨を決する
ことになると……。確かに、デモクラシー国家が第一次世界大戦に勝ったわけです。
「これは我々の国家の、我々の戦争だ。だから、辛い塹壕戦も耐えられる」と頑張れた
わけです。

それに対して、王政、君主制を保っていた国々は、「この戦争は何だ。王様と一部の
特権階級のためにやらされているんじゃないか……」ということで、結局、最後には精
神力が尽きていった。数々の国で王政そのものが倒れることにもなりました。それを上
杉は目撃したのです。日本はもちろん君主制なわけです。ですから大事なのは、この君
主制を外形的な、表面的な君主制ではなく、国民の内面に根付いた君主制にしなければ
いけないんだと。つまり、天皇と国民との精神的一体性のようなものを高めることによ
って国民の凝集力が高まり、総力戦で根性が出るという論理なのです。彼の考えは単な
るファナティックな天皇主義というだけの話ではありません。

高瀬　ただ、上杉教授と北一輝から学んだことは必ずしも一致しません。論理的整合性
が取れないけれど、どうやら岸の中ではそれ全体としては調和が取れるというか、つな
げていけた。

白井　煎じ詰めれば、北一輝の理論は別に天皇は必要ないですから……。

高瀬　岸自身の中にも、そこは非常に矛盾があるかもしれませんが、それらを包含していくところがあったようです。1939年に帰国して、41年に商工大臣になる。東条（英機）内閣がアメリカとの戦端を開くわけですが、その開戦内閣の商工大臣だった。統制経済を進めようとして、実際そうしていくわけですが、三井、三菱、住友は「自由にやらせろ」と言っているのに対し、岸は古河や大倉財閥、安田や日産などの新興ともいえる財閥に肩入れします。日産を満州に呼んできたりしている。このあたりがまたほかの官僚とは少し違いますね。いわゆるエリートではない商工省に行き、財界の主流ではなく、ある種傍流的なところをフォローしていく。

白井　そうですね。三井や三菱などの伝統的な財閥は、先ほど言った自由主義のパラダイムの中にあるわけです。ですから、基本的に「経済主体は我々財界であり、ああしろ、こうしろと国家から言われるのは筋違いだ」という考え方があるわけです。

後に、岸が満州から帰ってきてから、阪急の小林一三（こばやしいちぞう）が入閣し、岸は役人方のトップになりますが、そこで大喧嘩になりました。小林一三はやはり財界の人ですから、国家統制を嫌うわけです。それに対して岸は、「今はそういう時代ではない。統制が必要なんだ」と言って、結局これは小林一三のほうが敗れて飛ばされる形になりました。

高瀬　そういうことがありました。岸はそこで持論を持って戦います。媚びることがあまりない。それが後々、結構影響が出てくる。

満州の話を少しすると、産業開発五カ年計画が立てられ、岸が満州に行ってこれを遂行しています。日産が満州重工業と社名を改め、鉄鋼や自動車の生産などあらゆることをやるコンツェルンを作っていくところに関わっていく。日産の鮎川義介は親戚筋にあたり、結構、縁故主義なところがありますが、満州の3年間で岸はいろいろな人脈も作っている。この満州時代が、岸を語るときに絶対にはずせないところだという感じがします。

岸信介の力の源泉は金を駆使する手法の有能さにある

高瀬　『キメラ満州国の肖像』という本があって、その中に「満州国は関東軍の機密費作りの巨大な装置だった」と書いてあります。満州国は関東軍とのつながりが強かった。満州各地、ペルシャなどからアヘンを調達し、支那派遣軍の謀略資金に使われていく。調達したのは、満州国通信社社長・里見甫(さとみはじめ)です。さらに甘粕正彦憲兵大尉。彼は大杉栄、伊藤野枝、それから大杉の甥っ子の3人を惨殺した有名な人ですが、満映（満州映画協会）理事長で陰の皇帝と言われていました。この人が満州でいろいろな工作をするわけです。

そのときに、どうも裏金があったのではないか。どうやら、岸がその裏金を工面していたのではないかというような推測があります。一介の官僚でありながら、甘粕の特務工作に対して当時の金で1000万円、現在で言うと80億円から90億円を渡していた。何か「ゾッ」とするようなところがあります。

白井　そのあたりのことはいろいろな話がありますが、いまだによくわからないことだらけです。結局、これを直にやっていたような人たちは、もちろん戦後に多くを語りませんし、それを間近で見ていた人たちや本当のことを知っている人たちも、全体像を知っているかと言うと、また話が違ってくるでしょう。やはり、なかなか憚りがあって言えないということで、いまだに謎が多いところです。

高瀬　そうですね。結局、証言でもって状況証拠的にこうだったのではないかというような話でとどまらざるを得ない。きちんとした証拠は出てきていません。しかし、証言はいろいろあると。

当時の部下に武藤富男という人がいます。後に明治学院大学の学長になる。この人が、岸から今の金額にして毎月20万円の小遣いをもらっていたといいます。「岸は同僚官吏はもとより、民間人、いわゆる満州浪人、無頼漢に至るまで彼のそばに来る者には惜しげもなく金を与えたと言われている。未成熟な政治土壌に特別の効能を発揮する金を駆使するという手法は、今や岸のものとなった」。これは、政治学者で、東京国際大学名誉教授の原彬久さんが書いた『岸信介　権勢の政治家』（岩波新書）の中に出てくる一節ですが、どうやら結局は金が岸信介の力の源泉ですね。

白井　その金の出所の大本のところはどうだったのかと言うと、おそらくアヘンが相当大きかったのではないかと言われているわけです。アヘンからの上がりの相当部分が岸のところに入るような仕組みがあり、そのお金を使ってさまざまに工作ができたと……。当時は、たぶん満州国が法治国家としてきちんと機能しておらず、ですから万事お金がものを言うというような、かなりアナーキーな状況です。

高瀬　そこで岸は、本当に自分の思うことをどんどんやっていったようです。彼が政治資金について言っている一節があります。「政治資金は濾過器を通ったものでなければならない。つまり綺麗な金ということだ。濾過をよくしてあれば、問題が起こってもそれは濾過のところで留まって、政治家その人には及ばぬのだ」と。濾過器論と言いますが、これは要するにマネーロンダリングということですよね。

白井　そういうことですね。

高瀬　結局、岸はそういう汚い金を扱って捕えられたことがない。上手に立ち回り岸のところまでは届かなかった。お金の扱いを非常にうまくやった政治家だと思います。ある意味、有能です。

白井　この濾過器論というのは、岸が満州を離れて日本に戻るときに、最後に部下に対して訓示として述べた言葉だと言われていますが、そういう場面で改めて述べた言葉ですから、大事な信条だったのでしょう。

結局、満州国の体制づくりに関して、岸がどれほどの貢献をしたかというのも、何だかよくわからない。岸自身は「あれは自分の作品だ。非常に貢献するところ大だった」と言っていますが、人によって評価が違う。「岸の言う通りだ」というようなことを言う人もいれば、「いや別に、彼が来る以前にグランドプランはできていたので、それをせいぜい実行したに過ぎない」というような評価をする人もいます。

高瀬 なるほど。産業開発五カ年計画を立てた人は別にいますからね。

白井 五カ年計画という言葉遣いからわかるように、やはりソ連的な社会主義の影響を受けているわけです。先ほど、ケインズ主義、国家社会主義という言葉を使いましたが、さらにそれを強固な国家統制寄りに振っていけば、その究極の形がいわゆる計画経済です。ですから五カ年計画などという言葉を使うのは、かなりそちらの計画経済に近づくことを意識しているわけです。

高瀬 ソ連の影響はやはり相当受けているみたいですね。時代的にも、若かりし頃にそういう影響を受けている。

白井 それはもう岸だけではなかった。当時は先ほど言った大恐慌の影響が大きいわけです。自由主義的資本主義ではもう立ち行かない。ソ連が現に計画経済をやって成功を収めていたという状況がありましたから。

A級戦犯だった岸信介が無罪放免となったのはなぜ？

白井　いずれにせよ、日本に帰ってきて商工省の役人としてトップに立ち、ついには東条内閣で大臣へというところにまでなるわけですが、もう一つポイントを挙げておきます。A級戦犯の被疑者になった人にはいろいろな人がいます。処刑されたり、長期の懲役になったり、一方では無罪放免になったりしました。それはどういう基準だったのだろうと。

高瀬　そうですね。

白井　岸の場合は、アメリカと手を握ったのではないかと長く語られていますが、岸が無罪というのはやはりかなり不自然なんです。というのは、アメリカに戦争を仕掛けたときの閣僚が何人もいた中で、戦争と遠いところのポジションだったらそんなに関係がないという感じにもなるでしょうが、岸は産業全般に関わる大臣だった。

高瀬　経済を回していく歯車の担当ですよね。

白井　そうです。そのときの経済は戦時経済、総力戦の戦時経済ですから、経済秩序全体を戦争へ動員していくことの責任者だったわけです。これが無罪というのはなかなか不思議だという話になる。アメリカにとって戦後日本を親米国家として誰に経営させるべきかということで、いろいろな候補や選択肢はあったはずです。結局、岸という人物がアメリカから見て本命になっていきます。

では、その根拠は何だったのだろうか。おそらく、岸が首の皮一枚で残れたのは、東条内閣を倒す功労者になったという事実が挙げられるでしょう。44年6月、サイパンが陥落します。その結果、B29が日本の本土まで飛行し爆弾を落として帰ってくることのできる距離にまで米軍基地ができてしまった。

高瀬　それまでは中国の四川省成都など中国大陸から来ていたわけですね。

白井　そしてサイパン陥落から日本本土への空襲が激烈なものになっていくのです。当時の日本の国家指導層もサイパンが落とされたら当然そうなるとわかっていたわけです。ですから、東条は責任を問われたということになりますし、岸などは「もうこれはダメだ。負け戦だから終戦工作をしないと……」という心境になる。ところが東条は、「いや、俺がまだまだ頑張るんだ。反転攻勢ができるんだ」と言って頑張っていた。「いや、これはもうダメだ。倒閣するしかない」ということで、結局、岸が進めた倒閣運動が命取りになり、東条は辞任せざるを得なくなった。

高瀬　そこはやはり、先を見て「これはもう変わる。東条の時代ではない」というあたりを見たのではないかという説もあります。

白井　ですから、アメリカから見ると、「こいつはなかなか合理的判断ができるじゃないか。ただの変なファナティックな人間ではない。なかなか肝も据わっているではないか」ということにもなってくるわけです。

高瀬　逆コースの中で「使える奴だ」と見られた可能性はありますね。

岸は、満州時代に非常にいろいろなところに金を配り人脈を作っているわけですが、その満州人脈と言われる中に椎名悦三郎という商工省時代の部下がいました。この人は後に自民党の副総裁までになる。岸の減刑の嘆願で相当アメリカ側と交渉したという話もあります。

この椎名悦三郎というと思い出すことがあります。田中角栄が金脈問題で権力を失い、自民党は金に汚い、金権まみれだと批判されます。その際、次の総理大臣を誰にするかとなったときに、いわゆる「クリーン三木」と言われた三木武夫を担ぎ出したのが椎名でした。そして自民党のイメージを一新していくという大きな決断をする。椎名裁定と言われました。いずれにしても椎名が岸の陰でずっと動いていたということもあったようです。アメリカに存在している文書の中で、岸に関しての書類だけが極めて少ないということもありますが、このあたりもなかなかわかり難いですね。

白井　少ないのではなくて、本当はいっぱいあるのですが情報公開されていないと。

高瀬　ほかの人はものすごく出てくるのに、岸信介のものだけが数枚しか出てこない。

白井　機密解除されていないんですよね。アメリカでは一定の年月が経つと機密解除がされます。しかし、例外規定があって、現在に対して深刻な悪影響を与えると判断されたものは公開されません。岸に関する文書は、それに該当するものとして、公開されていないのです。

首相就任時、「日本がアジアの盟主」と印象づけようと考えた岸

高瀬　そうですね。何かそこにもう少し奥があるのかもしれない……。いずれにしても岸は生き残り、そして首相になりました。首相になったときに、まず普通はアメリカに行って首脳会談を行ないますが、岸はまずアジア外交を展開しました。東南アジア外交です。台湾、タイ、インドネシアなど六か国を回った。当時のことがいろいろ書かれている資料がある。アイゼンハワー大統領との日米首脳会談前に東南アジアを歴訪し、まずはアジアにおける日本の地位を高め、やはり日本がアジアの盟主であるということを印象づけてからアメリカに乗り込むと考えたのではないかと言われています。

白井　ここは戦後日本政治を根本的にどう見るかというところに関わってくるのかなと思います。先ほど3人組というか、勝共連合を日本側で作ったのは岸信介、児玉誉士夫、笹川良一だったと言いました。いわゆるその大物フィクサーと言われるような中でも児玉などはいわゆる保守傍流のほうに手を貸したのです。これは元をたどれば、鳩山一郎にさかのぼる話です。鳩山一郎と吉田茂の対立と確執というところに起源があります。要するに吉田が戦後政治の最初のリーダーになるわけですが、本当は鳩山一郎がなるは

ずだったと。ところが、鳩山一郎が突然公職追放され吉田にお鉢が回ってきた。吉田は「追放解除されたら、もともと鳩山さんの椅子だったのだから、あなたに戻しますよ」と言ったが、ありがちなことですが、この約束は反故にされて鳩山一郎は激怒したわけです。そこで鳩山一郎はどういう論理で吉田を攻めていったかというと、要するに吉田はアメリカに媚びているばかりではないかということです。

吉田は保守本流の吉田ドクトリン、軽武装、経済重視という路線を形成していくわけですが、鳩山一郎に端を発する路線はそういう吉田の考え方は堕落していると。金さえ儲かればいいのか、国家の独立、言わば日本人の日本人たる所以、日本人の誇りといったものを軽視していて、国家国民を堕落させるものであると。ある種の国粋主義的な考え方で対抗していくことになりました。そこに共鳴したのが、児玉誉士夫です。このような考え方で、自由党の中の反吉田派を糾合して日本民主党が作られていくことになりますが、そのときに資金提供したのが児玉誉士夫です。

高瀬　いわゆる上海の児玉機関でボロ儲けしたお金が、そこに流れ込んだということですね。

白井　それで岸は結局、鳩山系の系譜についていくことになる。

高瀬　ここは面白いところですね。岸信介というのは、その時代時代に必ずしも主流ではない。傍流にいながら、いつの間にか主流にのし上がっているようなところがあって、これらの話もそうですね。自民党の中でも傍流ですね。

白井　結局、自由党と民主党に分かれている状態は全体としてまずい。強力な社会党に対抗するために自由民主党という形で合同します。1955年のことですね。つまり、もともとは自由党吉田派と自由党反吉田派だったものが再統合した形になります。しかし、基本的には保守本流と言われるように、吉田系の系譜、つまり現在で言えば岸田の宏池会にまでつながる系譜が主流になります。

高瀬　旧経世会。それが長い間自民党政治の本流だったわけです。田中角栄系もそちらの系統となります。それが、この20年くらいで岸の流れを汲む清和会系が力を持ってきた……。

白井　もともと傍流だったのですが、傍流と本流が入れ替わったということです。

高瀬　少し混ざったような感じのところもありますね。

白井　面白いことに、岸の実弟の佐藤栄作は保守本流のほうにいました。

高瀬　先ほど、岸のアジア外交の話をしましたが、インドネシアの賠償問題もありました。これもいち早く、戦後に首相になったからやったわけです。今では誰でも知っているあのデヴィ・スカルノ夫人が登場してきますが、スカルノ大統領と岸の関係もありました。インドネシアの賠償問題について白井さんはどのように考えますか？

白井　先ほどひも付きODAの原型になっているということで韓国利権の話がありました。同様の利権の構造を、アジアのいろいろな国に作っていったんですね。それで利権の衝突も起こって、インドネシアでは岸・児玉系の利権と田中清玄（たなかきよはる）系の利権が衝突したようです。その前にも、児玉との対立は激しく、田中清玄が銃撃されるという事件もありました。

高瀬　田中清玄というのは、戦前は激烈な共産党員、左翼でしたが、捕まって獄中で転向して天皇主義者になりました。戦後にまた非常に面白いエピソードがあります。岸政権時代の60年安保のときに、いわゆる左翼の学生にお金を出して助けたと。これはどう考えればいいんでしょうか。

白井　動機は三つあると思います。一つはかつての自分の姿、共産党員であった自分の姿をブントの若者に見ていたということです。もう一つはある種の謀略なんですね。保守の側、右翼から見ると怖いのは、なんだかんだ言って日本共産党だと。60年安保で大活躍したブントは、要するに共産党を割って出て来た連中ですから、この連中が活性化すると共産党は弱体化するはずだということです。さらにもう一つは、岸が嫌いだと……。

高瀬　なるほど。そこに利権の問題、アジア利権の問題が絡んでくるということでしょうね。岸信介や児玉誉士夫のことをものすごく嫌っていますね。

白井　そうです。さらに、ここに山口組などの裏社会もつながってくることになります。

高瀬　ドロドロの世界があるわけですね。いずれにしてもインドネシアに対して戦争の賠償責任をということは表向きの話で、その裏に利権が絡んで泥沼になっていく。

　そこでまたインドネシアとの関係性を高め、インドネシア賠償に絡んで日本企業がいろいろと入っていきます。少し調べたところでは、日本企業は木下商店と東日貿易という会社が関わっていました。木下商店というのはあまり大きな会社ではありませんが、社長が満州時代に岸と懇意だった。それから、インドネシア賠償に絡む開発プロジェクトはほとんど日本工営というところが関与していました。ここは今もある、かなり大きな企業です。この会社の社長が戦前、朝鮮半島などの電源開発の専門家だったということで、やはりアジアとの関係を長く引きずりながら戦後の賠償もやっていく。

白井　そこは非常に複雑なところです。数年前、偶然テレビ番組で見たのですが、引退直前の結構高齢の商社マンが取材を受けていました。その方は戦後アジアでいろいろな仕事をしてきたと言うのですが、もともと大川周明の弟子として、「やはり日本はアジアの中で生きていかなければならない」という薫陶を受け、それが戦後の自分のやってきた仕事の根底的な考えというか、バックボーンだったんだと言っていました。

ですから、それをどう見るかという問題があります。もちろん、基本的には資本主義的な関係の中で行なわれる経済活動であるわけですから、そこには搾取があるだろうという評価もできますし、他方で停滞した経済状況、低開発状態を日本の資本が助けたというような一面もあります。ですから、助力と搾取の複雑な絡み合いがあるわけです。

高瀬　非常にアジアとの関係は深かったという感じがします。もちろん、現在のアジアとの関係を見たら貿易は相当いろいろやっていますが、政治的にはすべての国と必ずしもうまくいっているわけではない。特に、朝鮮半島、そして中国です。このままではやはりダメなのではないかという機運も出てくるような気がします。別に戦前に戻れとは言いませんが、アジアとどう付き合ってきたのかという歴史を振り返らなければいけなくなると思います。

白井　そうですね。私は、そういった転換がどうか戦争を経ずに行なわれないかなと願っています。

アジア主義のあるべき姿とは？

高瀬　いずれにしても、岸は戦後、アジアに足場を置こうとしていきます。そこには大アジア主義があります。戦前の大東亜共栄圏思想と全然矛盾しないと……。大アジア主義と戦後におけるアジアへの関心が完全につながるとともに、自分が満州国に行ったこととも結びつきます。ですから、やはりアジアに足場を置く、あるいはアジアとの関係を重視しながら何かをやっていこうというのは、戦前と変わらないのだと自分で語っています。

白井　そこでまた話がややこしくなるのですが、前述した保守本流と傍流の二大潮流を外交のところへ単純化して当てはめると、保守本流は要するにアメリカそして先進国ヨーロッパのほうを主に見ている。傍流のほうは、やはりそれではダメだろうと言います。岸信介などは、日本はアジアなのだから、もっとアジアに重きを置くべきだというスタンスを意図的に出していましたね。

これは後々で言うと、福田赳夫です。保守傍流、清和会から出た首相でしたが、福田さんはアジア重視という姿勢を出していました。けれども、そこでまたややこしくなるのが中国問題で、日中国交正常化です。これは結局、田中角栄が実現したわけですが、あれはあれでアジア主義です。とはいえ、保守傍流の側のアジア主義は同時に反共主義でした。台湾派が多いので、長い間田中角栄の日中国交正常化路線に対して保守傍流系は批判的でした。ですから、保守傍流の側はあくまで反共的アジア主義。早い話が、その反共の元締めは誰かと言ったらアメリカということになるわけです。

高瀬　なるほど、そこにねじれが……。

白井　要は「僕らの後ろには、親分がいるんだ……」という前提の下でやっているアジア主義に過ぎないのです。

高瀬　いろいろ読むとわからなくなってきますが、そこから日米の安保条約の改定に進むわけです。その時点では、要するに岸は親米なのではないかというふうにとらえられがちです。しかし、岸が考えていたのは、現実的にアメリカとの協定、条約を結んでやるしかないが、自主憲法を制定したいし、いずれは日本の独自性も立ち上げたい。そのためには、アジアを足場にしなければならない。そのときにアジアと対等な位置で並ぶのではなく、どうも上に立つというように考えている。そのあたりの岸の狙いは、やはり最終的にアジアを利用しながら独立、そしてアメリカとも渡り合うというふうに考えていいんでしょうね。

白井　岸自身は、あまり「誰が兄貴で、誰が弟で」というような言い方をしていないと思いますが、例えば笹川良一などは「人類みな兄弟」と言っていましたが、あのときの長兄はアメリカで、その次が日本です。その下に韓国、アジア諸国というビジョンです。

だから、実は全然転向もしていないのです。笹川自身の内的信念からすれば、戦前の八紘一宇（はっこういちう）の考え方から何も変わっていないということになります。

高瀬　国体思想とか、形ですよね。つまり天皇を戴いてということですが、白井さんがおっしゃったように、アメリカが取って代わる。

白井　でも、やはりそれはいろいろ矛盾を来（きた）すだろうと思います。日本にとってアメリカがより上だと認めてしまったら、天皇陛下はどうするんだという問題で、天皇陛下はさらにアメリカよりも上だと強弁するのか。私の理論ですが、「今やアメリカが天皇陛下ではないですか」と認めるしかないのではないかと言いたくなります。

高瀬　日本の戦前からつながるアジアとの関係性の問題があり、戦後、今度はアメリカに頭を押さえつけられていく中で、アメリカに押さえつけられているだけでは嫌だと……。アジア主義的なものを台頭させようとする。しかし、どこかで矛盾が生じたりする。

そんな中で岸の動きを見ていると、何とかアジア主義的なものを目指していこうじゃないかといったもがきのようなものがこの時代には見える気がします。孫の安倍晋三の時代になったとき、そこはもう薄っぺらな状況になり、岸田になったら「アジアもへったくれもない、アメリカについていけばいいんだ」くらいにしか見えてきません。

白井　今さら失われた時間を取り返すことはできないのですが、それでも改めて考えて、何かしらを実践していかなければいけないんだろうと思います。岸のアジア主義というのは、日本はあくまで盟主なんだという立場を取りたがるものであったというのと同時に、圧倒的に贖罪（しょくざい）のような観念が欠けています。もちろん朝鮮半島への植民地支配もそうですが、フィリピンや東南アジア諸国にどれだけの悲劇をもたらしたか……。太平洋戦争のときにそれだけのことをしたと考えると、必要な贖罪の感覚を欠いたということは言わざるを得ません。

高瀬　そうですね。

白井　アジア主義と言えば、私たちは竹内好（たけうちよしみ）という名前を思い出すわけです。岩見隆夫さんの『昭和の妖怪　岸信介』という本に面白いことが書いてありました。60年安保の後くらいだったか、岸が「竹内好という学者に会ってみたい」と言ったと……。どうもそれは、人を経由して竹内好のところに話が来たらしいのですが、竹内好は断ったというエピソードがあるらしいんです。竹内好は『日本とアジア』という本の中で、最初にアジア主義のいくつかの分類をしています。その中で、いわゆる日本の保守政治や財界のやっているアジア主義を、まがいものと言うか、まったく非本来的なものとして定義していたわけです。

私は、竹内と岸の会談が幻に終わったことが少し残念という気がしないでもないのです。岸からすれば、「こんなのはまがいものだ」と言われても、そうは言っても政治や経済、ビジネスの現実というものがあると言いたかったでしょうし、竹内としては、やはりビジネスやパワーポリティクスの論理だけでは、今は一見うまくいったように見えても、後々、絶対にそれでは片がつかなくなるのだと……。

それこそ、日韓関係などがそうです。日韓基本条約や請求権協定などは、当時の日本はある意味うまく進めたわけです。韓国が、本当はこんなものは受け入れられない、受け入れたくないというのを、国力の差を用いて押しつけることができた。その場では勝ったように見えましたが、結局その後、長く相手が不満に思っているということは、歴史認識の相克といった形をとって火種として今日までずっと尾を引くようなことになっています。

そう考えたときに、このアジア主義が本当はどういうものとしてあるべきなのか、理念もそうだし、もちろん現実もありますが、それをどうやってすり合わせていくのかということが、結局何も考えられてこなかった。何もないと言うと語弊がありますが、少なくとも今日の永田町で、そんなことを考えている人物がいるだろうかというような状況になってしまい、安倍政権にしても外交は迷走を続けたわけです。

高瀬　そうですね。

白井　最終的に、現在の日本はアメリカの台湾問題への、ときに挑発的なまでのやり方に対して、「ついて行きますどこまでも」になってしまっています。

高瀬　本当に巻き込まれてしまうのではないかと思います。

この章では、統一教会の日本進出に大きな影響を与えた、あるいは尽力したと言っていい岸元首相を中心に語りました。そこからはその当時はいろいろ複雑な状況が入り乱れていて、それを何とか解きほぐしながら日本の立場もよくしていこうといった、政治家の葛藤のようなものが見える気がしました。簡単に解答は出ないと思いますが、時間が経ち、岸の時代に始まった統一教会の日本進出と自民党との関係が、2022年に暴露されてしまった。一つの時代が大きな節目を迎えたのではないかという感じがします。

白井　そうですね。2022年、統一教会の問題が大きく表面化してきた中で、勝共連合のようなものは日本ではいまだにあるわけです。勝共ユナイトなどというものがいまだにあるのですから。統一教会の本家本元は北朝鮮の金王朝とがっちり組んでやっているという話ですが、日本はいつまでこんなことをやっているんだろう、いつまで逆コースでできた国の形をひたすら現状維持しているんだろう……。そんな怠惰な姿勢では日本は衰退するし滅びるということを、統一教会問題は突きつけているのだろうと思います。

高瀬　アジアとの関係も、結局、歴史の問題を何ら解決できない、向き合うことすらできていないというところも見えて、そこにつけこんできた点も、統一教会の問題の一つであるという感じがします。

統一教会問題は、重大なことを我々に突きつけていると思います。この問題はまったく終わっていません。これからもさまざまな問題が出てくるでしょう。非常に複雑なことが絡み合っています。私たちはそこから逃げずに、現実と歴史の中に何があったのかを直視しながら考え続けるしかないと思います。

おわりに

本書出版のきっかけは、ユーチューブチャンネル「デモクラシータイムス」で、白井聡さんに話を聞く「ニッポンの正体」がスタートしたことだった。第一回は22年3月に配信。以後原則的に毎月一度、その時々のニュースを取り上げてきた。それがこのような形で、今回、一冊の書籍となったのは望外の喜びだ。

番組を制作するにあたって考えたのは「時評」であると同時に、現在という「点」だけにとどまらず、直近の出来事を政治的、社会的、歴史的な文脈などの中でとらえたいということだった。そのニュースと一見関係のないように思えることが、地下水脈を通して深層にもつながっているかもしれない。そんな想像が及ぶような話ができればという期待もあった。

日々のニュース報道は、陸上の100m走のようなものだ。瞬発力、爆発力が勝負。ただ翌日には、後発のニュースによってかき消されたり、上書きされたりしていく。インパクトはあっても、その日その日のニュースだけでは、そこから何を考えるかの猶予はほとんどないといってもいい。

繰り返される不祥事、政治家の信じがたい愚かで浅薄な言動、庶民の暮らしと乖離(かいり)した政策のズレ、権力者たちの驕(おご)り等々。いったいこの違和感や奇妙でどうしようもない情けなさは、どこからきているのか。何が原点なのか。どういうことが影響してこんな体質や思考に陥るのか。そんな疑問は、日々のニュースの中で膨らんでいくばかりではないだろうか。しかし、いくら毎日のニュースを積み重ねても本質にはなかなか届かず、正体が見えにくい。

もっと深いところに降りていく必要があるのではないか。視野を広く、ときに構えを大きくしてこそ見えてくること、わかってくることがあるはずだ。それこそが「知りたい」ことではないか。そして、それらの「学び」、知識の蓄積のうえに、賢明で、覚醒していく道があるのではないかというのが問題意識の根底にあった。

このいびつな現今の日本社会を招来したものは何なのか。「戦後社会」の成り立ちから考える必要があるのではないかと以前から漠然と感じていた私は、白井さんの代表作『永続敗戦論』をはじめとして、いくつもの著作や論考によって納得させられることが多々あった。戦後日本のありようを鋭く撃ち、解析する白井さんにぜひ、連続して話を聞きたいと思った。現憲法を米国など占領国の押しつけ憲法と批判し、自主憲法を作ることを掲げながら、過度な対米従属を続けてきた戦後保守政治の矛盾。何が原因で、どういう捩(ねじ)れの構造を持っているのか。白井さんほど、鮮やかに戦後社会を解体し、腐臭に満ちた「ニッポンの正体」を突き付けてくれる研究者はいなかった。

なによりその魅力は、切れ味鋭い分析力とともに、心の奥底から出口を求めて噴出してくるかのような怒りがあることだ。戦前の「国体」であった天皇(制)に変わり、米国という戦後の新たな「国体」をいただいて、その庇護の下に居続けることで、権力を固めたこの国の保守支配層は、戦後ある時期まではまだ独立国としての路線や選択肢を模索する意志を持っていた。だが米国に付き従うことが習い性となり、骨の髄まで米国の〝手下〟と化していることへの猛然たる憤怒である。

自主、自立（自律）の気概は喪失し、ひたすら上目遣いの卑屈な言動しかしない人間に、まともな生き方ができるわけがない。それでいて、「戦後レジームからの脱却」という詐欺的言辞を弄す。そんな「彼」だけにとどまらず、その後政権を担った恐ろしく言葉の貧相なトップや現在の首相へと、未成熟で幼稚な政権が続いている。誰がなっても同じ顔しか出てこない、そんな政治を、戦後の長い期間、構造的に支えていた「55年体制」に変わる新しい「体制」だとして私たちの前に提示してみせる。現体制への批判的視座はリベラル陣営の論客として括られがちだが、白井さんには、己無き無為な生き方、理に合わぬいい加減さを否定する激情がある。その意味では、右左の概念だけでは包括できない俠客的、国士的心情とも相通ずる心性を持つ政治学者と言ってもいいだろう。

そんな白井さんに、二回り近くも年齢が上の私が、年の差なんか忘れて、感心し、共感し、教えられながら出来上がったのが本書である。番組開始から1年余。私自身がもっとも学んだ一人かもしれない。

この国の正体とはいったい何なのか。幻想、幻惑から覚醒し、その実態を冷徹に見ることからしか、閉塞した状況を変え、壁の向こう側へとブレークスルーすることはできない。学び続けるしかないのだ。

最後になったが、毎回この番組の相当量のデータや写真などをスライド化し、ギリギリのスケジュールにもかかわらず、テキパキと対応してくれるカメラ・デジタル担当の高橋英理子さんに、この場を借りて感謝の意を表したい。

高瀬毅

本書は二〇二三年に小社より刊行された『ニッポンの正体　漂流を続ける日本の未来を考える』を改題のうえ、文庫化したものです。

ニッポンの正体

漂流する戦後史

二〇二四年 五 月一〇日 初版印刷
二〇二四年 五 月二〇日 初版発行

著 者 白井聡
聞き手 高瀬毅
発行者 小野寺優
発行所 株式会社河出書房新社
〒一六二-八五四四
東京都新宿区東五軒町二-一三
電話〇三-三四〇四-八六一一(編集)
〇三-三四〇四-一二〇一(営業)
https://www.kawade.co.jp/

ロゴ・表紙デザイン 粟津潔
本文フォーマット 佐々木暁
本文組版 株式会社創都
印刷・製本 中央精版印刷株式会社

Printed in Japan ISBN978-4-309-42103-2

官報複合体

牧野洋

41848-3

日本の新聞はなぜ政府の“広報紙”にすぎないのか？　権力との癒着を示すさまざまな事件をひもとき、「権力の応援団」となっている日本メディアの大罪を暴いていく。

情報隠蔽国家

青木理

41849-0

警察・公安官僚の重用、学術会議任命時の異分子排除、デジタル庁による監視強化、入管法による排外志向、五輪強行に見る人命軽視……安倍・菅政権に通底する闇を暴く。最新の情報を大幅増補した決定版。

資本主義と不自由

水野和夫

41989-3

世界経済は矛盾に満ちている。カネとモノ、エネルギーの寡占化が止まらない。やがて、資本主義は終わりを迎えていく。変容する帝国主義の形を西洋史の観点から解いた、水野和夫の講義録を文庫化。

アメリカに潰された政治家たち

孫崎享

41815-5

日本の戦後対米史は、追従の外交・政治史である。なぜ、ここに描かれた政治家はアメリカによって消されたのか。沖縄と中国問題から、官僚、検察、マスコミも含めて考える。岸信介、田中角栄、小沢一郎…。

ほんとうの中国の話をしよう

余華　飯塚容〔訳〕

46450-3

最も過激な中国作家が十のキーワードで読み解く体験的中国論。毛沢東、文化大革命、天安門事件から、魯迅、格差、コピー品まで。国内発禁！　三十年の激動が冷静に綴られたエッセイ集。

韓国ナショナリズムの起源

朴裕河　安宇植〔訳〕

46716-0

韓国の歴史認識がいかにナショナリズムに傾いたかを1990年代以降の状況を追いながら、嫌韓でもなく反日でもなく一方的な親日でもない立場で冷静に論理的に分析する名著。

自由論

酒井隆史　41704-2

政治・経済・社会を貫くネオリベラリズムの生成過程を規律社会から管理社会へ移行する権力の編成としてダイナミックに描き出し、フーコー以降の政治社会論を根底から刷新する歴史的名著、待望の文庫化。

暴力の哲学

酒井隆史　41431-7

人はなぜ暴力を憎みながらもそれに魅せられるのか。歴史的な暴力論を検証しながら、この時代の暴力、希望と危機を根底から考える、いまこそ必要な名著、改訂して復活。

カネと暴力の系譜学

萱野稔人　41532-1

生きるためにはカネが必要だ。この明快な事実から国家と暴力と労働のシステムをとらえなおして社会への視点を一新させて思想家・萱野の登場を決定づけた歴史的な名著。

孤独の科学

ジョン・T・カシオポ／ウィリアム・パトリック　柴田裕之〔訳〕　46465-7

その孤独感には理由がある！　脳と心のしくみ、遺伝と環境、進化のプロセス、病との関係、社会・経済的背景……「つながり」を求める動物としての人間——第一人者が様々な角度からその本性に迫る。

ツイッター哲学

千葉雅也　41778-3

ニーチェの言葉か、漫画のコマか？　日々の気づきからセクシュアリティ、社会問題までを捉えた、たった140字の「有限性の哲学」。新たなツイートを加え、著者自ら再編集した決定版。松岡正剛氏絶賛！

ゆるく考える

東浩紀　41811-7

若いころのぼくに言いたい、人生の選択肢は無限である、と。世の中を少しでもよい方向に変えるために、ゆるく、ラジカルにゆるく考えよう。「ゲンロン」を生み出した東浩紀のエッセイ集。

考えるということ

大澤真幸　41506-2

読み、考え、そして書く——。考えることの基本から説き起こし、社会科学、文学、自然科学という異なるジャンルの文献から思考をつむぐ実践例を展開。創造的な仕事はこうして生まれる。

身ぶりとしての抵抗　鶴見俊輔コレクション2

鶴見俊輔　黒川創〔編〕　41180-4

戦争、ハンセン病の人びととの交流、ベ平連、朝鮮人・韓国人との共生……。鶴見の社会行動・市民運動への参加を貫く思想を読み解くエッセイをまとめた初めての文庫オリジナルコレクション。

思想をつむぐ人たち　鶴見俊輔コレクション1

鶴見俊輔　黒川創〔編〕　41174-3

みずみずしい文章でつづられてきた数々の伝記作品から、鶴見の哲学の系譜を軸に選びあげたコレクション。オーウェルから花田清輝、ミヤコ蝶々、そしてホワイトヘッドまで。解題＝黒川創、解説＝坪内祐三

不定形の思想

鶴見俊輔　41920-6

鶴見俊輔の原点にして主著ともいえる前期－中期の名アンソロジー、初めての文庫化。鶴見自身が自身の全作品のなかで最も気に入っていたという論考「かるた」を収録。解説：黒川創

旅と移動　鶴見俊輔コレクション3

鶴見俊輔　黒川創〔編〕　41245-0

歴史と国家のすきまから、世界を見つめた思想家の軌跡。旅の方法、消えゆく歴史をたどる航跡、名もなき人びとの肖像、そして、自分史の中に浮かぶ旅の記憶……鶴見俊輔の新しい魅力を伝える思考の結晶。

宮武外骨伝

吉野孝雄　41135-4

あらためて、いま外骨！　明治から昭和を通じて活躍した過激な反権力のジャーナリスト、外骨。百二十以上の雑誌書籍を発行、罰金発禁二十九回に及ぶ怪物ぶり。最も信頼できる評伝を待望の新装新版で。

軋む社会　教育・仕事・若者の現在

本田由紀　41090-6

希望を持てないこの社会の重荷を、未来を支える若者が背負う必要などあるのか。この危機と失意を前にし、社会を進展させていく具体策とは何か。増補として「シューカツ」を問う論考を追加。

日本の童貞

澁谷知美　41381-5

かつて「童貞」が、男子の美徳とされた時代があった⁉　気鋭の社会学者が、近代における童貞へのイメージ遍歴をラディカルに読みとき、現代ニッポンの性を浮かびあがらせる。

ちゃんとわかる消費税

斎藤貴男　41710-3

政治家の嘘、黙り込みを決めたマスコミ、増税を活用する大企業によって隠された消費税の恐るべき真実。その仕組みを一からわかりやすく解き明かし、消費税の危険性を暴き出す。武田砂鉄氏との対談を収録。

複眼で見よ

本田靖春　41712-7

戦後を代表するジャーナリストが遺した、ジャーナリズム論とルポルタージュ傑作選。権力と慣例と差別に抗った眼識が、現代にも響き渡る。今こそ読むべき、豊穣な感知でえぐりとった記録。

私戦

本田靖春　41173-6

一九六八年、暴力団員を射殺し、寸又峡温泉の旅館に人質をとり篭城した劇場型犯罪・金嬉老事件。差別に晒され続けた犯人と直に向き合い、事件の背景にある悲哀に寄り添った、戦後ノンフィクションの傑作。

娘に語るお父さんの戦記

水木しげる　41906-0

21歳で南方へ出征した著者は、片腕を失い、マラリアに苦しみながらも、自然と共に暮らすラバウルの先住民たちと出会い、過酷な戦場を生き延びる。子どもたちに向けたありのままの戦争の記録。

伝説の編集者　坂本一亀とその時代

田邊園子　41600-7

戦後の新たな才能を次々と世に送り出した編集者・坂本一亀は戦後日本に何を問うたのか？　妥協なき精神で作家と文学に対峙し、〈戦後〉という時代を作った編集者の軌跡に迫る評伝の決定版。

樺美智子、安保闘争に斃れた東大生

江刺昭子　41755-4

60年安保闘争に斃れた東大生・ヒロインの死の真相は何だったのか。国会議事堂に突入し22歳で死去し、悲劇のヒロインとして伝説化していった彼女の実像に迫った渾身のノンフィクション。

連合赤軍　浅間山荘事件の真実

久能靖　41824-7

日本中を震撼させた浅間山荘事件から50年。中継現場から実況放送した著者による、突入までの息詰まる日々と事件の全貌をメディアの視点で描く。犯人の証言などを追加した増補版。

日航123便墜落　疑惑のはじまり

青山透子　41827-8

関係者への徹底した取材から墜落の事件性が浮上する！ベストセラー『日航123便墜落の新事実』の原点にして渾身のヒューマンドラマ、待望の文庫化。

日航123便　墜落の新事実

青山透子　41750-9

墜落現場の特定と救助はなぜ遅れたのか。目撃された戦闘機の追尾と赤い物体。仲間を失った元客室乗務員が執念で解き明かす渾身のノンフィクション。ベストセラー、待望の文庫化。事故ではなく事件なのか？

日航123便墜落　遺物は真相を語る

青山透子　41981-7

あの事故の背景には、何が隠されているのか？　御巣鷹山の尾根に残された遺物の科学的な分析結果から「テストミサイル誤射説」を徹底検証。事件の真相に迫る告発のノンフィクション。

戦後史入門

成田龍一　41382-2

「戦後」を学ぶには、まずこの一冊から！　占領、55年体制、高度経済成長、バブル、沖縄や在日コリアンから見た戦後、そして今——これだけは知っておきたい重要ポイントがわかる新しい歴史入門。

第二次世界大戦　1

W・S・チャーチル　佐藤亮一〔訳〕　46213-4

強力な統率力と強靱な抵抗精神でイギリス国民を指導し、第二次世界大戦を勝利に導き、戦時政治家としては屈指の能力を発揮したチャーチル。抜群の記憶力と鮮やかな筆致で、本書はノーベル文学賞を受賞。

第二次世界大戦　2

W・S・チャーチル　佐藤亮一〔訳〕　46214-1

史上類を見ない規模の世界大戦という歴史の表舞台に直接参加し、いかに歴史を変え、いかに戦い抜いたかを、リアルに記録した最も信頼すべき最高の資料。第二巻は、独軍の電撃進攻と孤立した英国の耐久戦。

第二次世界大戦　3

W・S・チャーチル　佐藤亮一〔訳〕　46215-8

勝利を疑わず不屈の意志で戦い抜く信念を国民に与え続けた指導者チャーチル。本巻では、枢軸国の猛攻の前に苦戦を強いられた連合国側に対して、カサブランカ会議やカイロ会議などで反抗の準備を主導する。

第二次世界大戦　4

W・S・チャーチル　佐藤亮一〔訳〕　46216-5

チャーチルの深い歴史観と透徹した眼差しが生み出す著作活動は、ノーベル賞受賞の本書によって結実した。第四巻は、ついに連合国側に戦局が転換し、史上最大のノルマンディー作戦から戦争終結までを描く。

満州帝国

太平洋戦争研究会〔編著〕　40770-8

清朝の廃帝溥儀を擁して日本が中国東北の地に築いた巨大国家、満州帝国。「王道楽土・五族協和」の旗印の下に展開された野望と悲劇の四十年。前史から崩壊に至る全史を克明に描いた決定版。図版多数収録。